JOSEPH CONRAD

El corazón de las tinieblas

JOSEPH CONRAD

El corazón de las tinieblas

PEQUEÑOS TESOROS

Joseph Conrad vivió una existencia marcada por la exploración y la aventura. A los 16 años, se unió a la marina mercante y viajó por todo el mundo, una experiencia que le brindó una visión única de África y en concreto del Congo, donde se desarrolla El corazón de las tinieblas. *Conrad fue testigo directo de la brutalidad del colonialismo europeo y sus consecuencias deshumanizadoras.*

El marino Charlie Marlow es contratado para remontar el río Congo en busca de Kurtz, una figura enigmática y trastornada que personifica la perversión extrema del poder colonial. A medida que Marlow se adentra en la selva, no solo nos conduce al «corazón de las tinieblas» geográfico, sino al mismo «horror» del alma humana.

CAPÍTULO I

La Nellie, una yola de crucero, se escoró sobre su ancla sin un movimiento de las velas y quedó inmóvil. La marea había subido, el viento estaba casi en calma y, puesto que se dirigía río abajo, no le quedaba sino fondear y esperar el cambio de marea. El estuario del Támesis se extendía ante nosotros como el inicio de un interminable canal. En lontananza, el mar y el cielo se soldaban sin fisuras y en el luminoso espacio las curtidas velas de las barcazas empujadas por la marea parecían inmóviles racimos rojos de lonas puntiagudas, entre los que brillaba el barniz de las botavaras. La neblina descansaba sobre las llanas riberas de las tierras bajas que se extendían hacia el mar hasta desaparecer en él. El cielo sobre Gravesend era oscuro, y más allá parecía condensarse en una lúgubre penumbra que se cernía, amenazadora e inmóvil, sobre la mayor y más importante ciudad de la tierra.

El director de la compañía era nuestro capitán y anfitrión y estaba al cargo del reclutamiento de la tripulación. Los cuatro observamos con afecto su espalda mientras, de pie en la proa, contemplaba el mar. No había nada en todo el río que fuera ni la mitad de marinero que él. Parecía un práctico, que para un marino representa la fiabilidad personificada. Resultaba difícil hacerse cargo de que su trabajo no se hallaba allá fuera, en el luminoso estuario, sino a sus espaldas, en la amenazadora penumbra.

Existía entre nosotros, como ya he dicho en alguna ocasión, el vínculo del mar, que además de mantener unidos nuestros corazones durante largos períodos de separación, tenía el efecto de hacer que tolerásemos las anécdotas e incluso las convicciones de cada cual. El abogado —el mejor de aquellos viejos compañeros— disponía, a causa de sus muchos años y muchas virtudes, del único cojín de cubierta y estaba tendido en la única estera. El contable había sacado ya un dominó de su caja y jugaba a hacer castillos con las fichas. Marlow estaba sentado a popa, con las piernas cruzadas, apoyado en el palo de mesana. Tenía las mejillas hundidas, la tez amarillenta, la espalda erguida, un aire ascético y, con los brazos caídos y las palmas de las manos vueltas hacia fuera, parecía un ídolo. El director, satisfecho con el buen agarre del ancla, se dirigió hacia popa y se sentó entre nosotros. Intercambiamos algunas palabras perezosas y después reinó el silencio a bordo del velero. Por algún motivo no llegamos a empezar la partida de dominó. Nos sentíamos meditabundos y sin ánimo para otra cosa que la plácida contemplación. El día finalizaba con una brillante serenidad exquisita. El agua centelleaba en calma; el cielo, límpido, era una benigna inmensidad de luz inmaculada; la propia bruma de los marjales de Essex parecía un tejido ligero y radiante suspendido de los altozanos boscosos del interior, que envolvía las bajas riberas entre sus pliegues diáfanos. Solo la penumbra del oeste, que se cernía sobre el curso alto, se iba ensombreciendo a cada minuto, como enfurecida por la proximidad del sol.

Y por fin, el sol descendió a lo más bajo en su curva e imperceptible caída y cambió de un blanco luminoso a un rojo apagado, sin rayos y sin calor, como si estuviese dispuesto a irse de pronto, herido de muerte por el contacto con aquella penumbra que se cernía sobre tantos hombres.

Enseguida se produjo un cambio en las aguas y aquella serenidad perdió su esplendor, pero se hizo más profunda. Al caer el día, el viejo río descansaba, sereno, en toda su amplitud, tras años de buen servicio ofrecido a la raza que poblaba sus márgenes, extendiéndose con la tranquila dignidad del camino de agua que conduce a los confines más remotos de la tierra. Contemplamos el venerable curso, no bajo el vívido rubor de un breve día que llega y nos deja para siempre, sino a la majestuosa luz de los recuerdos perdurables. Y, en efecto, nada le resulta tan sencillo a un hombre que, como suele decirse, ha «seguido la llamada de la mar» con reverencia y afecto, como evocar el gran espíritu del pasado al encontrarse en el curso bajo del Támesis. El flujo y el reflujo de la marea se suceden en su incesante transcurrir, preñado de recuerdos de las gentes y los barcos que ha conducido hacia el descanso en el hogar o las batallas en el mar. El Támesis había conocido y servido a todos los hombres que enorgullecen a la nación, desde sir Francis Drake hasta sir John Franklin, caballeros todos, con título de nobleza o sin él: los grandes caballeros andantes del mar. Había llevado a todos los barcos cuyos nombres son como joyas que resplandecen en la noche de los tiempos, desde el Golden Hind, que regresó con sus curvos costados llenos de tesoros para recibir la visita de Su Majestad la Reina, entrando así en la leyenda; hasta el Erebus y el Terror, que partieron hacia otras conquistas... para no regresar jamás. Había conocido a hombres y navíos. Hombres que partieron de Deptford, Greenwich, de Erith: aventureros y colonos; naves reales y barcos mercantes; capitanes, almirantes, traficantes del comercio con Oriente y comisionados generales de la flota de las Indias Orientales. Gentes en busca del oro o de la fama habían partido por aquella corriente, empuñando la espada y a menudo la antorcha, mensajeros del poder de la nación, portadores de una chispa del fuego sagrado. ¡Qué grandezas no habían flotado en el reflujo de aquel río hacia el misterio de una tierra desconocida!... Los sueños de la humanidad, la semilla de la unión de naciones, el germen de los imperios.

El sol se puso; el ocaso descendió sobre la corriente y a lo largo de la orilla comenzaron a aparecer luces. El faro de Chapman, un artilugio de tres patas erigido en un llano lodoso, brillaba con fuerza. Las linternas de los barcos se movían por el canal de navegación en una gran agitación de luces que subían y bajaban. Y más al oeste, en el curso alto, la ubicación de la gigantesca ciudad permanecía aún marcada ominosamente en el cielo: una amenazadora penumbra a la luz del sol, un lóbrego resplandor bajo las estrellas.

—Este también ha sido —dijo Marlow de pronto— uno de los lugares más oscuros de la tierra.

Era el único entre nosotros que todavía «seguía la llamada del mar». Lo peor que se podía decir de él era que no representaba a su clase. Era marino, pero también un vagabundo, mientras que la mayoría de los hombres de mar llevan, si es que se puede expresar así, una vida sedentaria. Son de mente hogareña y siempre llevan consigo su hogar, el barco, al igual que su país, la mar. Un barco se asemeja mucho a otro y la mar es siempre la misma. En la inmutabilidad de su entorno, las costas extranjeras, los rostros desconocidos, la cambiante inmensidad de la vida se deslizan ante ellos, velados no por cierto misterio, sino por cierta ignorancia con un toque de desdén; pues no hay nada misterioso para el marino salvo la propia mar, que es señora de su existencia y tan inescrutable como el destino. Por lo demás, tras su jornada de trabajo, un despreocupado paseo o una borrachera ocasional en tierra le bastan para desentrañar los secretos de todo un continente, y, por lo general, llega a la conclusión de que no valía la pena conocerlos. Las historias de marinos son de una simplicidad directa, cuyo significado íntegro cabe en la cáscara de una nuez. Pero no había nada típico en Marlow (con la excepción de su propensión a contar historias) y para él, el significado de un episodio no se encontraba en el interior, como el fruto seco, sino en el exterior, envolviendo el relato que lo pone de manifiesto como un resplandor pone de manifiesto la neblina, a semejanza de uno de esos halos brumosos que en ocasiones resultan visibles a la espectral luz de la luna.

Su comentario no resultó en absoluto sorprendente. Era muy propio de Marlow y lo aceptamos en silencio. Nadie se molestó siquiera en emitir un gruñido y enseguida dijo, muy despacio:

—Estaba pensando en la Antigüedad, cuando los romanos llegaron aquí por primera vez, hace mil novecientos años; el otro día... Desde entonces, de este río ha surgido la luz. ¿No, caballeros? Sí, pero es como un incendio desbocado en la llanura, como el resplandor del relámpago entre las nubes. En ese destello vivimos, ¡y ojalá dure mientras la anciana Tierra siga girando! Pero ayer mismo reinaba aquí la oscuridad. Imaginaos el sentir del capitán de uno de aquellos magníficos, ¿cómo se llamaban?, trirremes del Mediterráneo destinado de pronto al norte: transportado por tierra a través de las Galias a marchas forzadas, puesto a cargo de una de esas embarcaciones que entonces los legionarios (que también debieron de ser un buen puñado de hombres mañosos) construían a cientos, en un mes o dos, por lo que parece, si hemos de creer lo que leemos. Imagináoslo aquí, en el mismo fin del mundo, en un mar del color del plomo, con un cielo del color del humo, en un barco poco más robusto que una concertina y remontando este río con suministros, u órdenes, o lo que fuera. Bancos de arena, marismas, bosques salvajes: bien poco que comer para un hombre civilizado, nada que beber salvo agua del Támesis. Nada de vino de Falerno, nada de bajar a tierra. Aquí y allá un campamento militar perdido en los páramos como una aguja en un pajar; frío, niebla, tempestades, enfermedades, exilio y muerte; la muerte acechando en el aire, en el agua, en la espesura. Aquí debían de morir como moscas. Así lo hicieron, sí, señor. Y aquellos capitanes lo hicieron bien, desde luego, y sin pensárselo mucho, salvo más tarde, para alardear de lo que habían tenido que pasar en sus tiempos, quizá. Les sobraba hombría para enfrentarse a las tinieblas. Y quizá los animaba la posibilidad de un ascenso en la flota de Rávena, tarde o temprano, si contaban con buenas amistades en Roma y sobrevivían a los horrores del clima. O pensad en un joven, un honrado ciudadano vestido con su toga (quizá demasiado aficionado a los dados, ya me entendéis) que llega aquí en la comitiva de algún prefecto, o un publicano o incluso un comerciante para rehacer su fortuna. Desembarca en un pantano, atraviesa los bosques y en algún enclave del interior siente que la barbarie, la absoluta barbarie, se va cerrando a su alrededor: la misteriosa vida salvaje que se agita en los bosques, en las selvas, en los corazones de los hombres montaraces. No hay iniciación posible en semejantes misterios: tiene que vivir en medio do lo incomprensible, que también le es detestable. Y esto ejerce sobre él, además, una fascinación que va creciendo en su interior; la fascinación de la abominación. Ya sabéis, imaginaos el creciente arrepentimiento, el deseo de escapar, la impotente repulsión, el abandono, el odio.

Hizo una pausa.

—Pensad —prosiguió, alzando un antebrazo con la palma de la mano hacia nosotros, de manera que, con las piernas cruzadas tenía la pose de un Buda predicando con ropas europeas y sin su flor de loto—. Pensad que ninguno de nosotros se sentiría exactamente así. Lo que nos salva es la eficiencia, la devoción por la eficiencia. Pero la verdad es que aquellos hombres no valían para gran cosa. No eran colonizadores, su administración no era sino simple opresión y nada más, sospecho. Eran conquistadores y para eso no hace falta más que la fuerza bruta; nada de que vanagloriarse, si la tienes, pues tu fuerza es un mero accidente que surge de la debilidad de los otros. Se apoderaban de lo que podían solo por el ansia de poseerlo; era puro robo con violencia, un asesinato alevoso a gran escala, y aquellos hombres se entregaban a él a ciegas, como les ocurre a quienes se enfrentan a las tinieblas. La conquista de la tierra, que consiste principalmente en arrebatársela a gentes de distinta tez o narices algo más chatas que las nuestras, no resulta muy agradable en cuanto se mira muy de cerca. Lo único que la redime es una idea. Una idea subyacente, no una pretensión sentimental, sino una idea y una fe desinteresada en esa idea: algo que se pueda construir, algo ante lo que postrarse y a lo que ofrecer un sacrificio...

Se interrumpió. Por el río se deslizaban llamas, pequeñas llamas verdes, llamas rojas, llamas blancas que se perseguían, se adelantaban, se unían, se cruzaban unas con otras para luego separarse lentamente o con premura. El tráfico de la gran ciudad proseguía mientras la noche caía, cada vez más profunda, sobre el río insomne. Continuamos observando, aguardando con paciencia —no había otra cosa que hacer hasta que cambiase la marea—, y tras un largo silencio dijo con voz vacilante: «Supongo, amigos, que recordaréis que durante un tiempo fui marino de agua dulce»; nos dimos cuenta de que estábamos condenados, antes de que comenzase el reflujo, a escuchar el relato de una de aquellas experiencias de Marlow que no llevaban a ninguna parte.

—No quiero aburriros demasiado con lo que me ocurrió a mí personalmente —comenzó, mostrando con ese comentario una de las debilidades de muchos cuentacuentos, que tan a menudo parecen no darse cuenta de lo que más le gusta escuchar a su público—; sin embargo, para comprender el efecto que aquello me causó, debéis saber cómo llegué hasta allí, lo que vi, cómo remonté aquel río hasta el lugar donde conocí a aquel pobre diablo. Era el más remoto curso navegable y la culminación de mi experiencia. De algún modo pareció arrojar cierta luz sobre todo mi ser y mis pensamientos. También fue bastante sombrío y también digno de compasión..., nada extraordinario en modo alguno, ni tampoco demasiado claro. Nada claro, desde luego. Y sin embargo, pareció arrojar cierta luz.

»Por aquel entonces, recordaréis, acababa yo de volver a Londres tras una larga travesía en el Océano Índico, el Pacífico, los mares de China (una buena dosis de Oriente), unos seis años o así, y me dedicaba a holgazanear, a estorbaros en el trabajo e irrumpir en vuestras casas, como si tuviese la misión divina de civilizaros. Disfruté mucho durante una temporada, pero al cabo de un tiempo acabé por cansarme de descansar. Entonces comencé a buscar un barco, el trabajo más difícil del mundo diría yo, pero los barcos ni se dignaban a mirarme. Y de ese juego también acabé por cansarme.

»Cuando no era más que un mocoso sentía pasión por los mapas. Me pasaba horas mirando Sudamérica, o

África, o Australia, y me perdía en las glorias de la exploración. Por aquel entonces quedaban todavía muchos espacios en blanco en la Tierra y cuando veía uno que me resultaba especialmente tentador en el mapa (aunque todos lo parecen) ponía el dedo sobre él y decía: "Cuando sea mayor voy a ir ahí". Recuerdo que uno de esos sitios era el Polo Norte. Bueno, aún no he estado allí ni tampoco lo voy a intentar ahora. Se ha perdido el encanto. Había otros lugares, repartidos por los hemisferios. He estado en algunos de ellos y..., bueno, no hablemos de eso. Pero quedaba uno (el más grande, el más vacío, por así decirlo) por el que sentía especial anhelo.

»Cierto es que para aquel entonces ya no se trataba de un espacio en blanco. Desde mi niñez se había ido llenando de ríos y lagos y nombres. Había dejado de ser un espacio en blanco de delicioso misterio, un parche en blanco en el que un niño podía depositar sus sueños, y se había convertido en un lugar de tinieblas. Sin embargo, en él me llamaba especialmente la atención un río, un río poderoso que al mirarlo en el mapa semejaba una inmensa serpiente desenroscada, con la cabeza en el mar, el cuerpo en reposo curvándose a lo largo del vasto país, y la cola perdida en los confines de aquella tierra. Y mientras miraba un mapa de la región en el escaparate de un comercio me quedé fascinado como un pájaro, un incauto pajarillo, ante una serpiente. Entonces recordé que existía una gran empresa, una compañía que explotaba el comercio en aquel río. "¡Demonios! —pensé—, no pueden comerciar sin usar algún tipo de embarcación en semejante cantidad de agua dulce. ¡Barcos de vapor!" ¿Por qué no intentaba conseguir el mando de uno de ellos? Continué por Fleet Street, pero no lograba sacarme la idea de la cabeza. La serpiente me había hechizado.

»Como supondréis, aquella sociedad comercial se trataba de una empresa continental, pero tengo mucha familia en el continente, porque dicen que es barato y no tan desagradable como parece.

»Lamento tener que admitir que comencé a importunarles. Esto ya era algo completamente nuevo para mí, ya sabéis que no tengo por costumbre conseguir las cosas de ese modo. Siempre me he abierto mi propio camino con mis propios pies cuando me he propuesto ir a algún lugar. Yo mismo no me lo hubiera creído, pero, ya veis, no sé por qué sentía que debía llegar allí a cualquier precio. Así que me dediqué a importunarlos. Los hombres me decían "¡Querido amigo!", pero no hacían nada. Así que, lo creáis o no, lo intenté con las mujeres. Yo, Charlie Marlow, puse a las mujeres a trabajar... para conseguirme un empleo. ¡Santo cielo! Ya veis hasta qué punto me empujaba aquella idea. Una tía mía, un alma entusiasta y entrañable, me escribió: "Será un auténtico placer. Haré encantada lo que sea, cualquier cosa por ayudarte. Es una idea magnífica. Conozco a la esposa de un alto funcionario de la administración y también a un hombre de gran influencia", etcétera. Estaba decidida a no escatimar esfuerzos para conseguir que me nombraran capitán de un vapor fluvial, si era eso lo que se me había antojado.

»Conseguí el cargo, por supuesto, y lo conseguí enseguida. Parece ser que la compañía había recibido la noticia de que uno de sus capitanes había resultado muerto en una escaramuza con los nativos. Era mi oportunidad y eso me hizo desear irme aún más. Muchos meses después, cuando intenté recuperar lo que quedaba del cuerpo, me contaron que la reyerta se había originado a causa de un malentendido por unas gallinas. Sí, dos gallinas negras. Fresleven (que así se llamaba el hombre, un danés) pensó que lo habían engañado en el trato, así que bajó a tierra y comenzó a golpear al jefe de la aldea con un palo. No me sorprendió lo más mínimo que, al tiempo que me contaban aquello, me dijesen que Fresleven era la criatura más amable y tranquila que haya pisado la faz de la tierra. No dudo que lo fuera, pero ya llevaba allí un par de años, entregado a esa noble causa, ¿entendéis?, y seguramente acabó por sentir la necesidad de demostrar de algún modo que sentía respeto por sí mismo. Así que aporreó a aquel anciano negro ante los atónitos ojos de toda una multitud de los suyos, hasta que uno de los hombres (el hijo del jefe, según me dijeron), desesperado al oír los gritos del viejo, pinchó tímidamente al hombre blanco con su lanza, pero esta, claro está, se le clavó entre los omóplatos. Entonces todos los indígenas huyeron al bosque, creyendo que ocurrirían toda clase de calamidades, mientras que, por otro lado, el vapor que mandaba Fresleven partió, también presa del pánico, con el maquinista al mando, según creo. Después de aquello nadie pareció preocuparse demasiado por los restos mortales de Fresleven hasta que llegué yo para ocupar su puesto. Me resultaba imposible dejarlo estar, pero cuando al fin se me presentó la oportunidad de conocer a mi predecesor, las hierbas que crecían a través de sus costillas eran ya tan altas que ocultaban sus huesos. No faltaba ni uno. Aquel ser sobrenatural había permanecido intacto tras su caída. Y la aldea estaba desierta, las cabañas abiertas de par en par, a oscuras, pudriéndose inclinadas en los cercados derruidos. Sin duda había caído sobre ella una calamidad. La gente se había desvanecido. Un delirante terror los había diseminado, hombres, mujeres y niños, por toda la espesura, y ya no habían regresado. Qué se hizo de las gallinas tampoco lo sé. Fuera como fuese, diría que se las llevó la causa del progreso. No obstante, gracias a este glorioso incidente obtuve el nombramiento, antes siquiera de haber empezado a tener esperanzas de lograrlo.

»Corrí como un loco a prepararme y antes de cuarenta y ocho horas me hallaba cruzando el Canal para presentarme ante mis patrones y firmar el contrato. En muy pocas horas llegué a una ciudad que siempre me trae a la mente un sepulcro blanqueado. Un prejuicio, sin duda. No me costó encontrar las oficinas de la compañía. Era el edificio más grande de la ciudad y todas las personas con las que me encontré no hacían más que presumir de él. Iban a crear un imperio en Ultramar y a hacerse de oro con el comercio.

»Una calle estrecha y desierta, sumida en las sombras, casas altas, innumerables ventanas con persianas venecianas, un silencio sepulcral, hierba brotando por doquier, inmensas y pesadas puertas de doble hoja entreabiertas. Me deslicé entre uno de esos resquicios, subí por una escalera barrida y sin adornos, árida como el desierto, y abrí la primera puerta que me encontré. Dos mujeres, una gorda y otra delgada, sentadas en sillas con el asiento de paja, hacían punto con lana negra. La delgada se levantó y vino directa hacia mí (sin dejar su labor ni levantar los ojos de ella), y justo cuando empezaba a plantearme apartarme de su camino, como se hace con los sonámbulos, se detuvo y alzó la vista. Llevaba un vestido tan sencillo como la funda de un paraguas y, sin una palabra, se volvió para que la siguiese hasta una sala de espera. Le di mi nombre y miré a mi alrededor. Una mesa de pino en el centro, sobrias sillas arrimadas contra las paredes y, en un extremo, un gran mapa resplandeciente marcado con todos los colores del arco iris. Abundaba el rojo (cosa que siempre da gusto ver, porque indica que allí se está trabajando en serio), había una buena cantidad de azul, un poco de verde, motitas naranjas y, en la costa oriental, una mancha morada que indicaba el lugar donde beben la jovial cerveza rubia los joviales pioneros del progreso. Sin embargo, yo no me dirigía a ninguno de estos puntos. Yo iba al amarillo. En el mismo centro. Y allí estaba el río: fascinante, mortal, como una serpiente. ¡Ah! Se abrió una puerta, apareció la canosa cabeza de un secretario de expresión compasiva, y un huesudo dedo índice me indicó que entrase en el santuario. La iluminación era tenue y el centro estaba invadido por un pesado escritorio. Desde detrás de aquella estructura surgían unas pálidas redondeces enfundadas en una levita. El gran hombre en persona. Calculo que mediría algo menos de un metro setenta, y en sus manos tenía el mango de una sartén de incontables millones. Me dio la mano, me imagino, murmuró alguna cosa, se dio por satisfecho con mi francés. *Bon voyage.*

»En unos cuarenta y cinco segundos me volví a encontrar en la sala de espera con el compasivo secretario, que, lleno de desolación y empatía, me hizo firmar un documento. Creo que me comprometí, entre otras cosas, a no desvelar ningún secreto comercial. Bueno, no pienso hacerlo.

»Empezaba a sentirme un poco incómodo. Ya sabéis que no estoy acostumbrado a semejantes ceremonias, y flotaba en el ambiente como un mal presagio. Parecía como si me hubieran dejado entrar en una conspiración, no sé, algo que no estaba demasiado bien. Me alegré de salir de allí. En la primera sala, las dos mujeres tejían lana negra compulsivamente. Llegaron unas personas y la más joven iba y venía, acompañándolas. La mayor continuaba sentada en su silla. Apoyaba sus planas zapatillas de paño en un brasero, y en su regazo descansaba un gato. Llevaba en la cabeza una pieza blanca almidonada, tenía una verruga en una mejilla y de la punta de la nariz le colgaban unas gafas de montura plateada. Me miró un momento por encima de los cristales y me sentí turbado por la placidez indiferente de aquella mirada. En aquel momento, dos jóvenes de semblante alegre y bobalicón eran conducidos al interior y les lanzó la misma mirada rápida de sabiduría indiferente. Parecía que lo sabía todo de ellos y de mí también. Se apoderó de mí un extraño sentimiento. Esa mujer me pareció sobrenatural y fatídica. Muchas veces, estando lejos de allí, pensaba en aquellas dos, custodiando la puerta de las Tinieblas, tejiendo su lana negra como para un cálido sudario, la una avanzando incesantemente hacia lo desconocido, la otra escrutando los rostros alegres y bobalicones con ojos antiguos e indiferentes. ¡*Ave*, anciana tejedora de lana negra, *morituri te salutant*! No muchos de aquellos a quienes miró volvieron a verla a ella. Ni siquiera la mitad, ni con mucho.

»Quedaba todavía una visita al doctor. "Una simple formalidad", me aseguró el secretario, con aire de hacerse cargo de todas mis penas. Así pues, un jovencito con el sombrero ladeado sobre la ceja izquierda, un empleado, supongo (algún empleado habría en la empresa, aunque la casa estaba más silenciosa que las de la ciudad de los muertos), bajó de alguna parte para acompañarme. Tenía un aspecto sucio y desarrapado, con manchas de tinta en las mangas de la chaqueta y un pañuelo a modo de abultada corbata bajo una barbilla con la misma forma que la punta de una bota vieja. Era un poco temprano para el doctor, así que le propuse ir a tomar algo, y a partir de ese momento mostró cierta jovialidad. Mientras tomábamos nuestros vermús, él ensalzaba los negocios de la compañía, y al cabo de un rato le expresé de pasada mi sorpresa por que él no fuese a aquellas tierras. De inmediato, se mostró frío y reservado. "No estoy tan loco como parece, dijo Platón a sus discípulos", declaró, sentencioso, vació el vaso con decisión y nos levantamos.

»El viejo doctor me tomó el pulso, a todas luces pensando en otra cosa. "Adecuado, adecuado para ir allí", masculló, y entonces me preguntó, con cierta emoción, si le permitiría medirme la cabeza. Bastante sorprendido, le dije que sí, y entonces sacó algo parecido a un calibrador y me midió por delante y por detrás, en todas las direcciones, tomando notas minuciosamente. Era un hombrecillo sin afeitar, con una bata raída semejante a una gabardina, los pies calzados con zapatillas. Me pareció un inofensivo insensato. "Siempre pido licencia, en interés de la ciencia, para medir los cráneos de los que parten hacia esas tierras", dijo. "¿También cuando regresan?», pregunté. "Oh, no los vuelvo a ver —puntualizó—. Es más, los cambios se producen en el interior, ¿me entiende?". Sonrió, como si se tratase de una broma privada. "Así que se dispone a irse. Asombroso. E interesante, también". Me dedicó un vistazo inquisitivo e hizo otra anotación. "¿Ha habido casos de locura en su familia?", preguntó como si tal cosa. La pregunta me molestó mucho. "¿Esa pregunta también es en interés de la ciencia?". "Para la ciencia —dijo sin darse por enterado de mi irritación— sería interesante observar los cambios mentales de cada individuo en el propio terreno, pero...". "¿Es usted alienista?", lo interrumpí. "Todos los médicos deberían serlo, al menos un poco —respondió, imperturbable, aquel original sujeto—. Tengo una pequeña teoría que ustedes, los caballeros que parten hacia allí, pueden ayudarme a demostrar. Esta es mi parte de las ventajas que el país cosechará gracias a la posesión de tan magníficos dominios. Las simples riquezas materiales se las dejo a otros. Disculpe mis preguntas, pero es el primer inglés que he tenido la oportunidad de observar...". Me apresuré a asegurarle que yo no era típico en absoluto. "Si lo fuese —dije—, no estaría hablando con usted de este modo". "Es bastante profundo, eso que dice, y probablemente erróneo —dijo riendo—. Evite irritarse más que exponerse al sol. *Adieu*. ¿Cómo dicen ustedes, los ingleses? ¡Ah, sí! *Goodbye*. *Goodbye*. *Adieu*. En el trópico se debe mantener la calma ante cualquier cosa. —Me advirtió, señalándome con el dedo—. *Du calme, du calme. Adieu*".

»Solo quedaba por hacer una cosa más: despedirme de mi maravillosa tía. La encontré exultante. Me tomé una taza de té, la última decente en muchos días, y en una habitación que tenía todo el tranquilo aspecto que se podría esperar de la sala de estar de una dama, conversamos larga y tranquilamente junto al fuego. En el transcurso de aquellas confidencias, se me hizo bastante evidente que me había pintado ante la mujer del alto dignatario, y Dios sabe ante cuántas personas más, como una criatura excepcional y de gran talento, todo un hallazgo para la compañía, un hombre de los que no se encuentran todos los días. ¡Cielo santo! ¡Y me iba a hacer cargo de un vapor fluvial del tres al cuarto, con su sirena y todo! Parecía, sin embargo, que también era uno de los Obreros, con mayúsculas, ya me entendéis. Una especie de emisario de la luz, una especie de apóstol menor. Mucho habían corrido las lenguas y la tinta con todos esos despropósitos sobre mí para aquel entonces, y la buena mujer, atrapada en el centro de la vorágine de tanta patraña, se dejó arrastrar por ella. Me habló de "arrancar a esos millones de ignorantes de sus horribles costumbres" hasta que, os lo prometo, me hizo sentir bastante incómodo. Me aventuré a hacerle notar que la compañía se movía por el beneficio económico.

»"Te olvidas, querido Charlie, de que el obrero merece su salario", dijo satisfecha. Es curioso lo desconectadas de la realidad que están las mujeres. Viven en un mundo propio y nunca ha habido nada semejante ni lo podrá haber jamás. Es demasiado hermoso y, si se pretendiera construirlo, se caería a pedazos antes de la primera puesta de sol. Alguna maldita realidad con la que los hombres llevamos viviendo, resignados, desde el día de la Creación surgiría para derribarlo.

»Después de eso me abrazó, me dijo que me vistiese de franela, que no dejase de escribir a menudo y otras cosas por el estilo, y me marché. En la calle, no sé por qué, me asaltó la extraña sensación de ser un impostor. Es curioso que yo, acostumbrado a partir hacia cualquier rincón del mundo en un plazo de veinticuatro horas, sin pensármelo más que la mayoría de los hombres antes de cruzar la calle, tuviese un momento, no diría de duda, pero sí de perplejidad, ante un asunto trivial como aquel. No os lo puedo explicar de mejor manera que diciendo que, durante un segundo o dos, me sentí como si en vez de dirigirme al centro de un continente, me dispusiese a partir hacia el centro de la Tierra.

»Partí en un vapor francés, que se detuvo en cada cochino puerto de la ruta con el único propósito, al menos según pude ver, de dejar en tierra a soldados y empleados de las aduanas. Yo iba observando la costa. Observar la costa deslizarse junto al barco es como pensar en un enigma. Ahí está, frente a ti, sonriendo, frunciendo el ceño, insinuante, grandiosa, mezquina, insípida o salvaje y siempre callada, con aire de estar susurrando "Ven a descubrirme". Esa costa en concreto no tenía apenas rasgos que la distinguieran, como si aún estuviese en formación, con un aspecto de lóbrega monotonía. El contorno de una jungla colosal, de un verde tan oscuro que casi parecía negro, orlaba las blancas olas, discurría recto, como trazado con regla, lejos, muy lejos, a lo largo de un mar azul cuyo centelleo quedaba empañado por una bruma que se arrastraba lentamente. El sol era de justicia. La tierra parecía refulgir y rezumar vapor. Aquí y allí, aparecían motas de un blanco grisáceo arracimadas sobre el blanco oleaje, quizá con una bandera ondeando sobre ellas. Y asentamientos con siglos de antigüedad, no mayores que la cabeza de un alfiler sobre la extensión intacta que les servía de fondo. Avanzábamos a lo largo de la costa, nos deteníamos, desembarcaban soldados; continuábamos, atracábamos, desembarcaban empleados de la aduana a imponer aranceles en lo que parecía una tierra salvaje dejada de la mano de Dios, con un cobertizo de hojalata y un asta de bandera en medio; desembarcaban más soldados, para proteger a los empleados de la aduana, es de suponer. Algunos, me contaron, se ahogaban entre las olas, pero fuera así o no, a nadie parecía importarle mucho. Allí los arrojábamos y continuábamos nuestro camino. La costa tenía el mismo aspecto todos los días, como si no nos hubiésemos movido, pero pasamos por varios lugares, emplazamientos comerciales, con nombres como Gran' Bassam o Pequeño Popo; nombres que parecían propios de una sórdida farsa representada ante un siniestro telón de fondo. La ociosidad del pasajero, mi aislamiento entre aquellos hombres con los que nada tenía en común, el mar, lánguido y aceitoso, la sombría uniformidad de la costa, parecían mantenerme apartado de la verdadera naturaleza de las cosas, fatigado en medio de una penosa ilusión sin sentido. Era, sin duda, un placer escuchar de vez en cuando la voz de las olas, como las palabras de un hermano. Era algo natural, que tenía su razón de ser, que tenía un significado. De vez en cuando, un bote procedente de la costa nos proporcionaba un momentáneo contacto con la realidad. Los remeros eran negros. Se veía brillar el blanco de sus ojos desde la lejanía. Gritaban, cantaban, con los cuerpos surcados por el sudor, las caras como máscaras grotescas; pero tenían huesos, músculos y una vitalidad salvaje, una intensa energía en los movimientos que era tan natural y auténtica como el propio oleaje que rompía en sus costas. No necesitaban excusarse por estar allí. Resultaba muy reconfortante mirarlos. Durante un tiempo sentía que aún formaba parte de un mundo de verdades sencillas, pero esa sensación no duraba mucho. Siempre surgía algo que la ahuyentaba. En una ocasión, recuerdo, nos encontramos con un buque de guerra fondeado frente a la costa. Allí no se veía ni una choza, pero el buque disparaba andanadas a la espesura. Por lo que parecía, estaban enzarzados en una de sus guerras. Su pabellón colgaba inmóvil como un trapo; las bocas de los largos cañones de ciento cincuenta y dos milímetros sobresalían a lo largo de toda la parte baja del casco; el oleaje, grasiento y viscoso, lo elevaba perezosamente y lo dejaba caer, cimbreando sus esbeltos mástiles. En medio de la inmensidad vacía de la tierra, el cielo y el agua, allí se hallaba aquel buque, inconcebible, disparándole a un continente. ¡Bum!, resonaba uno de los cañones de ciento cincuenta y dos milímetros; una llamita brotaba y se extinguía, una nubecilla de humo blanco se desvanecía, un minúsculo proyectil emitía un débil chirrido; y no ocurría nada. No podía ocurrir nada. Aquella maniobra tenía algo de insensatez; contemplarla me dejó la sensación de una lúgubre bufonada que no quedó disipada al asegurarme con total sinceridad una persona de a bordo que había allí un campamento de nativos (¡enemigos, los llamó!) oculto a la vista, en alguna parte.

»Les entregamos su correspondencia (me contaron que los hombres de aquel barco solitario se estaban muriendo de fiebres a razón de tres al día) y continuamos. Recalamos en algunos otros lugares con nombres absurdos, donde se baila la alegre danza de la muerte y el comercio en un ambiente inmóvil y telúrico como el de una sofocante catacumba; navegamos a lo largo de la costa bordeada por aquel peligroso oleaje, que era como si la Naturaleza misma intentase alejar a los intrusos; entrando y saliendo de ríos, corrientes de muerte en vida, cuyas orillas se deshacían en lodo y cuyas aguas se espesaban, transformándose en limo, invadidas de retorcidos manglares que parecían contorsionarse de dolor ante nosotros en los estertores de una impotente desesperación. En ningún lugar nos detuvimos lo suficiente para formarnos una impresión concreta, pero en mí fue creciendo una sensación de asombro vago y opresivo. Era como un fatigoso peregrinaje entre insinuaciones de pesadillas.

»Transcurrieron más de treinta días hasta que vi la boca del gran río. Echamos el ancla frente a la sede del gobierno, pero mi trabajo no comenzaría hasta unas doscientas millas más allá. Así que, en cuanto pude, partí hacia un lugar a treinta millas río arriba.

»Tomé pasaje en un vapor de altura. El capitán era un sueco que, al saberme marino, me invitó al puente.

Era joven, delgado, rubio y taciturno, con el cabello lacio y andares renqueantes. Al salir de la pequeña y miserable dársena, sacudió la cabeza hacia la orilla con desprecio. "¿Vivía usted allí?", preguntó. Contesté que sí. "Valiente pandilla, esos chicos del gobierno, ¿verdad? —continuó, hablando inglés con gran precisión y considerable amargura—. Es curioso lo que algunos son capaces de hacer por unos cuantos francos al mes. Me pregunto qué les ocurre a los de su clase cuando se internan en el país". Le dije que esperaba verlo pronto. "¡Bue-e-e-no!", exclamó. Cruzó al otro lado, arrastrando los pies, con un ojo siempre al frente, vigilante. "No esté tan seguro —continuó—. El otro día llevé a un hombre que se colgó por el camino. También era sueco". "¿Se ahorcó? Pero ¿por qué motivo, por el amor de Dios?", exclamé. Siguió mirando atentamente. "¿Quién sabe? No pudo con el sol, o tal vez con el país".

»Por fin se abrió entre nosotros una gran extensión de agua. Apareció un promontorio rocoso, montículos de tierra removida junto a la orilla, casas en una colina, otras con techos de hierro, en medio de un erial causado por las excavaciones o colgando de un declive. El ruido incesante de los rápidos de río arriba planeaba sobre esta escena de devastación habitada. Muchas personas, casi todas negras y desnudas, deambulaban como hormigas.

Un pantalán se proyectaba hacia el río. Por momentos, la cegadora luz del sol lo ahogaba todo, en un súbito recrudecimiento de su resplandor. "Allí tiene el puesto de su compañía —dijo el sueco, señalando tres estructuras de madera, semejantes a barracas, situadas en la ladera rocosa—. Le haré enviar su equipaje allí arriba. ¿Cuatro cajas, me había dicho? Pues, bueno, adiós".

»Me topé con una caldera tirada entre las hierbas y luego encontré un sendero hacia lo alto de la colina que se desviaba para evitar las peñas y también un pequeño vagón de ferrocarril que yacía boca arriba, con las ruedas en el aire. Le faltaba una. Parecía tan muerto como los restos de algún animal. Me tropecé con más maquinaria en decadencia, un montón de raíles oxidados. A la izquierda, un grupo de árboles proporcionaba una zona de sombra donde parecían agitarse débilmente unas cosas oscuras. Parpadeé; el sendero era empinado. A mi derecha resonó un cuerno y vi que los negros echaban a correr. Una detonación potente y sorda sacudió el suelo, salió del promontorio una voluta de humo, y eso fue todo. La roca no pareció sufrir cambio alguno. Estaban construyendo la vía férrea y el promontorio no obstruía el camino ni nada semejante. Pero los únicos trabajos que se estaban llevando a cabo eran aquellas voladuras sin razón de ser.

»Un leve tintineo a mi espalda me hizo volver la cabeza. Seis negros avanzaban en fila, subiendo penosamente por el sendero. Caminaban erguidos, lentamente; sobre sus pequeñas cabezas portaban cestas llenas de tierra en equilibrio. El tintineo seguía el ritmo de sus pasos. Alrededor de la cintura llevaban harapos negros cuyos cortos extremos se meneaban de un lado a otro de su espalda como si fueran rabos. Se les veían todas las costillas, las articulaciones de sus miembros eran como los nudos de una cuerda; cada uno llevaba un collar de hierro al cuello y todos estaban unidos entre sí mediante una cadena cuyos eslabones se balanceaban entre ellos, emitiendo un tintineo rítmico. Otra detonación llegada del promontorio me hizo pensar de pronto en aquel barco de guerra que habíamos visto disparando al continente. Era el mismo sonido ominoso, pero ni aun con el mayor esfuerzo de la imaginación se podría llamar «enemigos» a aquellos hombres. Se los llamaba «criminales», y la ley que habían ultrajado, igual que la restallante artillería, había llegado hasta ellos desde el mar como un misterio insondable. Sus escuálidos pechos jadeaban al unísono, con las dilatadas aletas de la nariz temblorosas, los ojos fijos en lo alto de la colina. Pasaron apenas a un palmo de mí, sin una mirada, con la completa indiferencia, similar a la muerte, de los salvajes infelices. Tras esta materia prima, uno de los sometidos, producto de las nuevas fuerzas en acción, se paseaba con desánimo sujetando un rifle por en medio. Llevaba una chaqueta de uniforme a la que le faltaba un botón, y, al ver a un hombre blanco en el sendero, se echó el arma al hombro con presteza. No era más que simple prudencia, pues, al ser todos los blancos tan semejantes en la distancia, no era capaz de distinguir de quién se trataba. Se tranquilizó enseguida, y, con una gran sonrisa blanca y pícara, y un vistazo a su carga, pareció hacerme cómplice de su henchida confianza. Al fin y al cabo, yo también formaba parte de la noble causa de aquella elevada y justa empresa.

»En lugar de continuar subiendo, me di la vuelta y descendí hacia la izquierda con la idea de dejar que aquella cuerda de presos desapareciera de mi vista antes de ascender por la colina. Sabéis que no soy blando, precisamente: he tenido que golpear y esquivar golpes. He tenido que defenderme y, en ocasiones, que atacar —lo que no es más que un modo de resistir— sin reparar en lo que pudiera costarme, por exigencias de la clase de vida a la que me había visto abocado. He visto al demonio de la violencia, al demonio de la codicia y al demonio del deseo ardiente; pero ¡por todos los santos!, aquellos eran demonios, fuertes, lujuriosos, de ojos enrojecidos, capaces de hacer tambalearse a un hombre y dominarlo; ¡a un hombre, os digo! Pero esperando en aquella ladera, presentí que, en la cegadora claridad de aquella tierra, llegaría a conocer a un demonio flácido, pretencioso, de ojos débiles y una locura rapaz e inmisericorde. Hasta qué punto podía llegar también su insidia no lo descubriría hasta varios meses después y a miles de kilómetros de allí. Durante un momento me quedé paralizado, como por una advertencia. Al fin, descendí la cuesta oblicuamente, hacia los árboles que había visto antes.

»Evité una enorme oquedad artificial excavada en la ladera y cuyo propósito me resultó imposible adivinar. No se trataba de una cantera, ni de una mina de arena, desde luego. No era más que un hoyo grande. Quizá pudiera guardar relación con el deseo filantrópico de dar a aquellos criminales algo que hacer, no lo sé. A punto estuve entonces de caerme en un barranco muy estrecho, poco más que una fisura en la ladera. Descubrí que allí se habían precipitado numerosas tuberías de drenaje traídas para el asentamiento. No había ni una sola que no estuviese rota. Era un destrozo gratuito. Por fin llegué bajo los árboles. Mi intención era pasear unos instantes a su sombra, pero tan pronto como llegué hasta allí me pareció haber penetrado en el tenebroso círculo de algún Infierno. Los rápidos se encontraban cerca y un ruido ininterrumpido, uniforme, raudo y precipitado puntuaba la lúgubre quietud de la arboleda, en la que no se agitaba ningún aliento ni se movía una hoja, con un sonido misterioso, como si el fluir desgarrado de la tierra al despeñarse se hubiera hecho audible de pronto.

»Se intuían formas negras acuclilladas, tendidas, sentadas entre los árboles, reclinadas contra los troncos, aferrándose a la tierra, visibles en parte, en parte ocultas por la tenue luz, en todas las posibles actitudes de dolor, abandono y desesperación. Otra mina detonó en el promontorio, seguida de una leve sacudida del suelo bajo mis pies. El trabajo continuaba. ¡El trabajo! Y ese era el lugar al que se habían retirado a morir algunos de los peones.

»Se estaban muriendo poco a poco, resultaba evidente. No eran enemigos, no eran criminales, ya no eran nada de esta tierra, tan solo sombras negras de enfermedad e inanición, tendidas en la confusión de aquella penumbra verdosa. Traídos desde los rincones más recónditos de la costa con todo el amparo legal de unos contratos temporales, perdidos en un entorno inhóspito, alimentados con comida extraña, enfermaban, se volvían ineficaces y, entonces, se les permitía arrastrarse a descansar. Estas formas moribundas eran libres como el aire y casi igual de ligeras. Comencé a distinguir el brillo de sus ojos. Entonces, al mirar hacia abajo, vi un rostro junto a mi mano. Sus negros huesos se hallaban reclinados contra un árbol en toda su longitud. Sus párpados se fueron levantando con lentitud y sus ojos hundidos me miraron, enormes y vacíos, con una suerte de ceguera, un titilar blanquecino en la profundidad de las órbitas, que se moría lentamente. Parecía joven, casi un niño, pero ya sabéis que con ellos es difícil estar seguro. No se me ocurrió otra cosa que ofrecerle una de las excelentes galletas del barco del sueco, que llevaba en el bolsillo. Sus dedos se cerraron despacio sobre ella, y así se quedaron, sin otro movimiento ni otra mirada. Llevaba un trozo de estambre blanco alrededor del cuello. ¿Por qué? ¿Dónde lo había conseguido? ¿Era una especie de insignia, un adorno, un amuleto, un acto propiciatorio? ¿Había alguna idea conectada a él? Resultaba sorprendente, en torno a su cuello negro, aquel retazo de blanco traído de ultramar.

»Junto al mismo árbol se sentaban, con las piernas recogidas, otros dos fardos de agudos ángulos. Uno, con la barbilla descansando sobre las rodillas, miraba fijamente a la nada en un ademán insoportable y desolador; su fantasmal hermano descansaba la frente, como superado por una enorme fatiga. Y por todas partes se veía a otros diseminados en todas las posturas posibles de contorsionada postración, como en una pintura de una masacre o una plaga. Mientras yo permanecía paralizado por el horror, una de aquellas criaturas se incorporó sobre las manos y las rodillas y se dirigió hacia el río, a cuatro patas, para beber. Lamió el agua del hueco de la mano, luego se sentó al sol, cruzando las canillas frente a él, y al cabo de un rato su lanosa cabeza cayó sobre su esternón.

»No deseaba demorarme más entre aquellas sombras y me apresuré hacia la estación, cuando, al acercarme a los edificios, encontré a un hombre blanco vestido con inesperada elegancia; lo tomé por una visión durante unos instantes. Vi un cuello alto, almidonado, puños blancos, una chaqueta blanca de alpaca, níveos pantalones, una pulcra corbata y botas lustrosas. No llevaba sombrero. El cabello peinado con raya, cepillado, con brillantina, y en su enorme mano blanca sostenía un parasol ribeteado de verde con el que se resguardaba. Resultaba asombroso y llevaba un portaplumas detrás de la oreja.

»Le estreché la mano a aquel prodigio y me enteré de que era el contable en jefe de la compañía y de que toda la contabilidad se realizaba en aquella estación. Había salido un momento, me dijo, “para respirar un poco de aire fresco”. La expresión sonó deliciosamente insólita, con su insinuación de que había una vida sedentaria de oficina. No habría mencionado a aquel individuo en absoluto, salvo porque de sus labios escuché por primera vez el nombre de un hombre que está ligado de manera indisoluble a los recuerdos de aquella época. Lo que, es más, aquel individuo se ganó mi respeto. Sí, sentí respeto por sus cuellos, sus grandes puños, su pelo cepillado. Su aspecto era, sin duda, el de un maniquí de peluquería, pero en medio de la enorme desmoralización de aquella tierra, él era capaz de preocuparse por su apariencia. Eso es entereza. Sus cuellos almidonados y sus tiesas pecheras eran demostraciones de carácter. Llevaba allí casi tres años y, más adelante, no pude evitar preguntarle cómo había logrado lucir semejante aspecto. Se sonrojó ligeramente y me dijo con modestia: "Le he estado enseñando a una de las nativas de cerca de la estación. Ha sido difícil, no le gusta el trabajo". Así pues, aquel hombre había conseguido todo un logro. Y llevaba con entrega los libros, que se hallaban en perfecto orden.

»En la estación, todo lo demás estaba en desorden: las mentes, las cosas, los edificios. Cuerdas de polvorientos negros de pies planos llegaban y se marchaban, un río de mercancías manufacturadas, algodones de ínfima calidad, cuentas e hilo de cobre partían hacia las profundidades de las tinieblas, y a cambio regresaba un precioso goteo de marfil.

»Tuve que esperar en la estación diez días: toda una eternidad. Vivía en una choza dentro del cercado, pero para escapar del caos me metía a veces en la oficina del contable. Estaba construida con tablones horizontales tan mal ensamblados que cuando se inclinaba sobre su alto escritorio, quedaba marcado de pies a cabeza con estrechas franjas de luz. No había necesidad de abrir las grandes contraventanas para ver. También hacía calor: moscas enormes zumbaban como demonios, y más que picar te apuñalaban. Por lo general me sentaba en el suelo mientras él, con su impecable apariencia e incluso leve perfume, escribía encaramado a un taburete alto. De vez en cuando se ponía de pie para estirar las piernas. En una ocasión en que colocaron allí un camastro con un enfermo (algún agente incapacitado llegado del interior), mostró una gentil contrariedad. "Los gemidos de este enfermo —dijo— distraen mi atención. Y sin ella resulta extremadamente difícil estar alerta contra los errores administrativos con un clima como este."

»Un día comentó, sin levantar la cabeza: "Seguramente en el interior conocerá usted al señor Kurtz". Al preguntarle yo quién era el señor Kurtz, me dijo que era un agente de primera clase, y, al ver mi desengaño ante aquella información, añadió con parsimonia, dejando la pluma: "Es una persona excepcional." Con algunas preguntas más obtuve de él que el señor Kurtz se hallaba en aquel momento a cargo de un puesto comercial de gran importancia en el auténtico territorio del marfil, "en el corazón mismo. Envía tanto marfil como todos los demás juntos...". Retomó su escritura. El enfermo estaba tan grave que ni siquiera gemía. Las moscas zumbaban en una gran calma.

»De pronto se elevó un creciente murmullo de voces y un gran alboroto de pisadas. Había llegado una caravana. Estalló un violento parloteo de sonidos groseros al otro lado de los tablones. Todos los porteadores hablaban al mismo tiempo y, en medio del tumulto, se escuchó la lamentable voz del agente a cargo "dejándolo por imposible" por vigésima vez en el día... Se puso en pie lentamente. "Qué alboroto más espantoso", dijo. Atravesó la habitación y se acercó amablemente para mirar al enfermo, y regresando a su sitio me dijo: "No oye nada". "¿Cómo? ¿Ha muerto?", pregunté, sobresaltado. "No, todavía no —respondió con gran compostura, y a continuación, aludiendo con una inclinación de la cabeza al tumulto, agregó—: Cuando se tienen que hacer los asientos con corrección se llega a odiar a esos salvajes, a odiarlos a muerte. —Quedó pensativo por un momento—. Cuando vea al señor Kurtz —continuó— dígale de mi parte que aquí todo —y lanzó una mirada hacia el escritorio— marcha de manera muy satisfactoria. No me gusta escribirle a esa estación, con estos mensajeros nuestros uno no sabe nunca en manos de quién pueden acabar las cartas". Me observó un momento, con sus afables ojos saltones. "Llegará lejos, ya lo verá —prosiguió—. Llegará a ser alguien en la administración no tardando mucho. Los de arriba, ya sabe, el consejo, en Europa, tienen intención de que así sea".

»Retomó su trabajo. El ruido había cesado en el exterior, y, al poco rato, me detuve en la puerta antes de salir. Entre el continuo zumbido de las moscas, el agente que esperaba para regresar a casa permanecía tendido, sofocado e insensible; el otro, inclinado sobre sus libros, realizaba minuciosos asientos de correctísimas transacciones; y a quince metros por debajo de los escalones se veían las mansas copas de la arboleda de la muerte.

»Al día siguiente dejé, por fin, la estación junto con una caravana de sesenta hombres, para emprender una marcha de más de trescientos kilómetros.

»No serviría de nada hablaros de ella. Senderos y más senderos, por todas partes; una red de senderos abiertos por el propio paso de los hombres que se extendía por toda aquella tierra deshabitada, atravesando las hierbas altas, atravesando la hierba quemada, atravesando la espesura, subiendo y bajando umbríos barrancos, subiendo y bajando collados rocosos abrasados por el calor; y soledad, soledad, sin un alma, sin una sola choza. La población se había marchado mucho tiempo atrás. Bueno, si a un montón de negros misteriosos pertrechados con toda clase de armas aterradoras le diese por viajar por la carretera que va de Deal a Gravesend, capturando a los paisanos a diestro y siniestro para que les llevasen sus pesados fardos, es de suponer que todas las granjas y las casas de los contornos se quedarían vacías enseguida. Solo que allí también habían desaparecido las viviendas. Aun así, atravesé varias aldeas abandonadas. Hay algo tristemente pueril en las paredes en ruinas cubiertas de hierba. Día tras día, con el pisotear y el arrastrar de sesenta pares de pies descalzos a mi espalda, cada par soportando una carga de treinta kilos sobre ellos. Acampar, cocinar, dormir, levantar el campamento, marchar. De vez en cuando aparecía un porteador muerto en servicio, tendido entre la hierba alta junto al camino, con una calabaza de agua vacía y el largo cayado a su lado. Nos rodeaba un gran silencio. Otras veces, en algunas noches tranquilas, se oía el temblor de tambores lejanos, apagándose, elevándose, en un temblor dilatado, desmayado. Un sonido extraño, atrayente, sugerente y salvaje. Y quizá con un significado tan profundo como el tañido de las campanas en un país cristiano. En una ocasión, hablé con un hombre blanco con un uniforme desabotonado, acampado en la senda con una escolta armada de desmañados zanzíbares, muy hospitalario y festivo, por no decir borracho. Estaba a cargo del mantenimiento de la calzada, afirmó. No diría yo que se viese por allí calzada ni mantenimiento alguno, a menos que el cadáver de un negro de mediana edad con un agujero de bala en la frente con el que me tropecé unos cinco kilómetros más adelante se pudiese considerar una mejora permanente. Contaba yo, además, con un compañero blanco. No era mal chico, pero estaba demasiado entrado en carnes y tenía la exasperante costumbre de desfallecer en las calurosas pendientes, a kilómetros del menor indicio de sombra y agua. Resultaba molesto, ya me entendéis, tener que sostener tu propia chaqueta a modo de sombrilla sobre la cabeza de un hombre mientras vuelve en sí. No pude resistirme a preguntarle en una ocasión qué propósito le había empujado a ir allí. "Ganar dinero, por supuesto. ¿Qué se pensaba usted?", dijo con desdén. Más tarde le entraron las fiebres, y hubo que transportarlo en una hamaca colgada de una pértiga. Como pesaba más de cien kilos, esto me ocasionó un sinfín de conflictos con los porteadores: se negaban a continuar, se escapaban, se escabullían en medio de la noche con sus cargas..., un motín en toda regla. Así que una noche pronuncié un discurso en inglés acompañado de gestos que ninguno de los sesenta pares de ojos que me contemplaban dejó de comprender, y a la mañana siguiente hice que la hamaca partiese a la cabeza del grupo. Una hora más tarde, me encontré con todo abandonado entre los arbustos: hombre, hamaca, quejidos, mantas, horrores. La pesada pértiga le había despellejado al pobre la nariz. Sentía un ansia incontrolable de matar a alguien, pero por allí no había ni la sombra de un porteador. Me acordé del viejo doctor: "Para la ciencia sería interesante observar los cambios mentales de cada individuo en el propio terreno". Sentí que estaba empezando a ser de interés científico. Sin embargo, todo esto no viene al caso. El decimoquinto día apareció de nuevo ante mis ojos el gran río y llegamos renqueando hasta la estación central. Se encontraba junto a un remanso rodeado de matorrales y bosque, bordeado de un hermoso lodazal pestilente, por un lado, y por los otros tres, por una absurda empalizada de juncos. No tenía otra entrada que una descuidada abertura, y un único vistazo resultaba suficiente para darse cuenta de que aquel espectáculo lo dirigía el diablo de la desidia. Entre los edificios aparecieron unos hombres blancos con largos cayados en la mano que se acercaron con desgana a echarme un vistazo para desaparecer de mi vista a continuación. Uno de ellos, un hombre robusto y excitable de bigote negro, con gran locuacidad y muchas digresiones me informó, en cuanto le dije quién era, que mi vapor estaba en el fondo del río. Me quedé estupefacto. ¿Qué?, ¿cómo?, ¿por qué? ¡Oh, no había problema! Estaba allí el "director en persona". Todo estaba en orden. "Todo el mundo ha tenido un comportamiento ejemplar. ¡Ejemplar! Tiene usted que ir ahora mismo —dijo— a ver al director general. ¡Lo está esperando!".

»No vi enseguida lo que aquel naufragio significaba. Diría que ahora sí lo veo, pero no estoy seguro, ni mucho menos. Desde luego, la cosa era demasiado ridícula —ahora que lo pienso— para ser natural. Y sin embargo... Pero en aquel momento se me presentó tan solo como una condenada molestia. El vapor se había hundido. Dos días atrás, habían partido río arriba con repentina urgencia, con el director a bordo y un voluntario por capitán, y no llevaban ni tres horas de navegación cuando se desgajó el fondo del casco contra unas rocas y la embarcación se hundió cerca de la orilla sur. Me pregunté qué iba a hacer yo allí, ahora que se había perdido mi barco. En realidad, sacar mi destino del fondo del río me iba a dar no poco que hacer. Tuve que emprender la tarea al día siguiente. Aquello, junto con las reparaciones necesarias tras llevar los restos a la estación, me llevó varios meses.

»Mi primera entrevista con el director fue curiosa. No me pidió que me sentase después de mi caminata de treinta kilómetros de aquella mañana. Era corriente de aspecto, rasgos, modales y voz. Era de estatura media y complexión normal. Los ojos, de un azul ordinario, destacaban, quizá, por su notable frialdad, y era muy capaz de dejar caer sobre uno su mirada como un hacha pesada e incisiva. Pero incluso en aquellos momentos el resto de su persona parecía desmentir tales intenciones. Por lo demás, solo en sus labios se percibía una débil expresión indefinible, un no sé qué furtivo, como una sonrisa que no era tal. Lo recuerdo, pero no lo sé explicar. Aquella sonrisa era inconsciente, como si justo después de decir algo se intensificase durante un instante, solamente. Aparecía al final de sus discursos, como un sello estampado sobre las palabras para hacer que el significado de la más común de las frases pareciese absolutamente inescrutable. Era un vulgar comerciante, empleado desde su juventud en aquellas latitudes, nada más. Le obedecían, pero no inspiraba ni amor ni miedo; ni siquiera respeto. Inspiraba incomodidad. ¡Eso es, incomodidad! No se trataba de una clara desconfianza, solo incomodidad, nada más. No tenéis ni idea de lo efectiva que una..., una... facultad como esa puede llegar a ser. No tenía talento para la organización, ni para la iniciativa ni para el orden, siquiera. Eso se hacía evidente en cosas como el deplorable estado de la estación. No tenía estudios, ni tampoco inteligencia. El puesto le había venido dado. ¿Por qué? Quizá porque no se ponía nunca enfermo... Llevaba allí tres campañas de tres años... Porque una salud triunfante es una especie de poder en sí misma en medio del declive general de los organismos. Cuando regresaba a casa de permiso se entregaba a toda clase de excesos a lo grande, con ostentación. Era un marinero en tierra, pero con la diferencia de que lo era solo en el exterior. De eso se daba uno cuenta con una conversación casual. No creaba nada; era capaz de hacer que la rutina siguiera su curso, nada más. Pero era extraordinario. Era extraordinario por el pequeño detalle de que resultaba imposible determinar qué podría controlar a un hombre como él. Nunca desveló el secreto. Quizá no tenía nada dentro. Tal sospecha le hacía a uno reflexionar, porque allí no había controles externos. En una ocasión en que varias enfermedades tropicales habían abatido a casi todos los agentes de la estación se le oyó decir: "Los hombres que vienen aquí no deberían tener entrañas". Selló tal declaración con aquella sonrisa suya, como si se tratase de una puerta que se abría a la oscuridad que guardaba en su interior. Tenías la impresión de haber visto algo, pero el sello ya se había interpuesto. Cuando se hartó de las continuas disputas entre los blancos por la precedencia a la hora de las comidas, encargó que se hiciese una enorme mesa redonda para la que hubo que construir una casa especial. Aquel era el comedor de la estación. El asiento que él ocupaba era la presidencia; el resto no tenía importancia alguna. Daba la impresión de que aquella era su convicción inalterable. No era cortés ni descortés. Era tranquilo. Permitía que su *chico*, un negro joven y sobrealimentado de la costa, tratase a los blancos con provocativa insolencia ante sus propios ojos.

»Comenzó a hablar en cuanto me vio. Yo había estado mucho tiempo en el camino y él no podía esperar. Tenía que partir sin mí. Había que relevar a las estaciones situadas río arriba. Ya se habían producido tantos retrasos que no sabía quién había muerto y quién continuaba con vida, ni cómo se las arreglaban, etcétera, etcétera. No prestó atención a mis explicaciones y, mientras jugueteaba con una barra de lacre, repitió varias veces que la situación era "muy grave, muy grave". Corrían rumores de que una estación de gran importancia se encontraba en riesgo y de que su jefe, el señor Kurtz, se hallaba enfermo. Esperaba que no fuera cierto.

El señor Kurtz era... Me sentía extenuado e irritable. Pensé que, por mí, Kurtz podía irse al diablo. Lo interrumpí diciendo que ya me habían hablado del señor Kurtz en la costa. "¡Ah! Así que allá abajo también se habla de él", murmuró para sí. Enseguida continuó, asegurándome que el señor Kurtz era el mejor agente que había tenido, un hombre excepcional, de primordial importancia para la compañía y que, por lo tanto, yo debía comprender su inquietud. Estaba, dijo, "muy, muy preocupado". Desde luego, no dejaba de retorcerse en la silla; exclamó: "¡Ah, el señor Kurtz!", se le rompió la barra de lacre y pareció quedarse anonadado por el accidente. Lo siguiente que quiso saber fue "cuánto se tardará en"... Lo interrumpí de nuevo. Como estaba hambriento y además me tenía allí de pie, empezaba a ponerme furioso. "¿Cómo quiere que lo sepa? —le dije—. Ni siquiera he visto los daños todavía, pero sin duda, varios meses". Todo aquel parloteo me parecía fútil. "Varios meses —dijo—. Bien, digamos que pasarán tres meses antes de que podamos partir. Sí, con eso tiene que bastar para solucionar el asunto". Salí de malos modos de su cabaña (vivía solo en una cabaña de arcilla con una especie de porche), rezongando entre dientes lo que pensaba de él. Era un charlatán y un idiota. Más adelante lo retiré, cuando fui comprendiendo con asombro la extremada precisión con que había calculado el tiempo necesario para el "asunto".

»Me puse manos a la obra al día siguiente, volviéndole la espalda, por así decirlo, a aquella estación. Me parecía que solo haciéndolo de aquel modo podría continuar aferrándome a las certezas redentoras de la vida. Sin embargo, a veces no queda otro remedio que mirar a nuestro alrededor, y entonces veía aquella estación, aquellos hombres deambulando sin objeto bajo el sol por todo el cercado. En ocasiones me preguntaba qué sentido tenía todo aquello. Iban de un lado a otro con sus largos cayados ridículos en la mano, como un montón de peregrinos sin fe, obligados, por un embrujo, a no salir de aquel cercado putrefacto. La palabra "marfil" resonaba en el aire, se susurraba, se suspiraba. Parecía casi que la rezaban. Un aire de estúpida rapacidad lo invadía todo, como el hedor de un cadáver. ¡Por Júpiter! Nunca en mi vida he visto una cosa más irreal. Y fuera, la silenciosa naturaleza salvaje que rodeaba aquel pequeño claro en la tierra se me antojaba grandiosa e invencible, como el mal o la verdad, esperando con paciencia el fin de aquella fantástica invasión.

»¡Ah, qué meses aquellos! Pero, bueno, qué más da. Ocurrieron varias cosas. Una noche, un cobertizo lleno de calicó, telas de algodón estampadas, cuentas y no sé cuántas cosas mas, se incendió tan repentinamente que cualquiera hubiera pensado que la tierra se había abierto para que el fuego vengador consumiese toda aquella porquería. Yo me encontraba fumándome una pipa tan tranquilamente junto al desmantelado vapor y vi a todo el mundo haciendo aspavientos a la luz, con los brazos en alto, en el momento en que el robusto hombre con bigote llegó corriendo hasta el río, cubo de hojalata en mano, me aseguró que todo el mundo estaba teniendo "un comportamiento ejemplar, ¡ejemplar!", recogió cosa de un litro de agua y volvió a salir pitando. No dejé de darme cuenta de que el cubo tenía un agujero en el fondo.

»Me acerqué hasta allí tranquilamente. No había prisa. Veréis, aquello se había incendiado como una caja de cerillas, no había nada que hacer desde el primer momento. Las llamas habían llegado a gran altura, alejando a todo el mundo, incendiándolo todo, y todo se había desplomado. El cobertizo era ya tan solo una pila de ascuas que relucían con fiereza. Allí cerca estaban azotando a un negro. Decían que era de algún modo responsable de haber causado el fuego, pero fuera como fuese, profería unos alaridos espeluznantes. Volví a verlo después, sentado durante varios días en una pequeña sombra, con aspecto de encontrarse muy mal e intentando recuperarse; al cabo de un tiempo se levantó y se marchó; y, sin un solo sonido, la jungla lo volvió a acoger en su seno. A medida que me aproximaba al resplandor desde la oscuridad, me encontré a la espalda de dos hombres que estaban hablando. Oí que se pronunciaba el nombre de Kurtz y luego las palabras "sacar provecho de este desafortunado accidente". Uno de los hombres era el director. Le di las buenas noches. "¿Había visto alguna vez cosa semejante? ¿Eh? Es increíble", dijo, y se alejó de allí. El otro hombre se quedó. Era agente de primera clase, joven, caballeroso, un poco reservado, con una luenga barba y la nariz aguileña. Guardaba las distancias con los otros agentes, y ellos, por su lado, afirmaban que el director lo usaba como espía entre sus filas. En cuanto a mí, apenas había hablado antes con él. Trabamos conversación y fuimos alejándonos poco a poco de las siseantes ruinas. Entonces me invitó a su habitación, que se encontraba en el edificio principal de la estación. Encendió una cerilla y percibí que aquel joven aristócrata no solo tenía un tocador de viaje montado en plata, sino también una vela entera para él solo. Por aquel entonces el director era el único con derecho a tener velas. Las paredes de arcilla estaban recubiertas por esteras fabricadas por los nativos, y tenía una colección de lanzas, azagayas, escudos y cuchillos colgada como trofeo. La tarea que se le confiaba a aquel hombre era la fabricación de ladrillos de adobe, al menos eso me habían dicho, pero en toda la estación no se veía ni un solo fragmento de ladrillo y él llevaba allí más de un año... a la espera. Parece ser que no se podían fabricar los ladrillos sin no sé qué cosa, paja, creo. Pero el caso es que no había manera de encontrarla en parte alguna y, como no era probable que la enviasen desde Europa, no veía yo muy claro qué estaba esperando. Una intervención especial del Creador, supongo. Sin embargo, allí todo el mundo —los dieciséis o veinte peregrinos— estaba esperando algo; y os doy mi palabra de que no parecía que aquella ocupación les desagradase, a juzgar por cómo se la tomaban, aunque lo único que les llegasen fuesen enfermedades, por lo que pude ver. Se entretenían intrigando y lanzándose maledicencias estúpidamente unos a otros. Sobre la estación planeaba un aire de complot, pero sin ninguna consecuencia, por supuesto. Eso era tan falso como todo lo demás: como las apariencias filantrópicas de la empresa, como su discurso, como su gobierno, como su despliegue de actividad. Allí el único sentimiento real era el deseo de ser destinado a un puesto comercial en el que se pudiera obtener marfil y así ganar comisiones. Intrigaban y se calumniaban y se odiaban mutuamente con aquel único propósito; pero ¿levantar tan solo el dedo meñique para hacer algo de provecho? ¡No, por el amor de Dios! Todavía queda en el mundo algo que permite que un hombre robe un caballo mientras otro no puede siquiera permitirse mirar una brida. ¿Que ha robado flagrantemente un caballo? Estupendo. Si así lo ha hecho, quizá sepa montar. Pero hay maneras de mirar una brida que al más caritativo de los santos lo sacaría de sus cabales.

»No tenía ni idea de por qué deseaba mostrarse amigable, pero mientras charlábamos se me ocurrió de pronto que aquel tipo tenía segundas intenciones: es más, que intentaba sonsacarme. Sacaba continuamente a colación Europa, personas que se suponía que yo debía conocer allí; haciendo preguntas para descubrir quiénes eran mis amistades en la ciudad de los sepulcros blanqueados y cosas por el estilo. Sus ojillos brillaban de curiosidad como discos de mica, aunque intentaba conservar cierta altivez. Al principio mi sorpresa fue tremenda, pero enseguida la reemplazó una enorme curiosidad por ver qué pretendía averiguar sobre mí. No podía imaginarme qué tenía yo que despertase su interés. Resultaba divertido ver su desconcierto, porque en realidad en mi cuerpo no había otra cosa que escalofríos, y mi cabeza estaba ocupada únicamente por el asunto del condenado vapor. Estaba claro que me tomaba por un consumado prevaricador sin vergüenza. Al final acabó por enfadarse y, para ocultar un gesto de furiosa indignación, bostezó. Me levanté. En ese momento reparé en un pequeño boceto al óleo en una tabla, que representaba a una mujer, envuelta en ropajes y con los ojos vendados, que llevaba una antorcha encendida. El fondo era sombrío, casi negro. El movimiento de la mujer era majestuoso y el efecto de la luz de la antorcha en su cara resultaba siniestro.

»El cuadro me llamó la atención, y él permaneció de pie, cortésmente, sujetando una botella de champán de un cuarto de litro (para usos medicinales) en la que había metido la vela. A mi pregunta, contestó que lo había pintado el señor Kurtz, en aquella misma estación hacía más de un año, mientras esperaba un medio que lo llevase hasta su puesto comercial. "Dígame, se lo ruego —le pedí—, ¿quién es ese señor Kurtz?".

»"El jefe de la estación del interior", contestó, con tono cortante y mirando hacia otro lado. "Muy agradecido —le dije entre risas—. Y usted es el fabricante de ladrillos de la estación central. Eso lo sabe todo el mundo". Se quedó en silencio durante unos instantes. "Es un prodigio —dijo al fin—. Es un emisario de la piedad y la ciencia y el progreso, y el demonio sabe qué más. Deseamos —comenzó a declamar de pronto—, para guiar la causa que se nos confió en Europa, por así decirlo, la inteligencia más elevada, la más amplia compasión, un único propósito". "¿Eso quién lo dice?", le pregunté. "Muchos de ellos —replicó—. Algunos hasta lo escriben. Y, así, un día llega él, un ser especial, como debería saber usted". "¿Por qué habría de saberlo?", le interrumpí, no sin sorpresa. No me hizo caso. "Sí, hoy es el jefe de la mejor estación, el año próximo será el subdirector, dos años más y... Pero me atrevería a decir que usted ya sabe a lo que habrá llegado en espacio de dos años. Usted pertenece al nuevo grupo, el grupo de la virtud. Los mismos que lo enviaron a él expresamente lo recomendaron también a usted. ¡Ah, no me diga que no! ¡Me fío de mis propios ojos!" Por fin se hizo la luz. Los influyentes contactos de mi querida tía producían un efecto inesperado en aquel joven. Casi me echo a reír a carcajadas. "¿Lee usted la correspondencia confidencial de la compañía?", le pregunté. No pudo articular palabra. Me estaba divirtiendo de lo lindo. "Cuando el señor Kurtz —continué con severidad— sea director general, ya no tendrá la oportunidad de hacerlo".

»De repente apagó la vela y fuimos afuera. Había salido la luna. Negras figuras deambulaban con desgana, derramando agua sobre los rescoldos resplandecientes, produciendo un sonido sibilante; el vapor ascendía a la luz de la luna, el negro apaleado gemía en alguna parte.

"¡Menudo escándalo arma ese animal! —dijo el infatigable hombre del bigote, apareciendo ante nosotros—. Le está bien empleado. Transgresión, castigo. ¡Bang! Sin piedad, sin piedad. No se puede hacer de otro modo. Esto servirá para evitar cualquier confrontación en el futuro. Justamente le estaba comentando al director...". Notó la presencia de mi acompañante y perdió todo entusiasmo de inmediato. "¿Todavía levantado? —dijo con una cordialidad servil—. Es de lo más natural. ¡Ah, el peligro, la agitación!". Se esfumó. Continué hasta la orilla del río y el otro me siguió. Me llegó a los oídos un áspero murmullo, "Hatajo de inútiles, ¡continuad!". Se veía a los peregrinos gesticular y discutir en grupos. Varios de ellos conservaban todavía los cayados. Creo firmemente que se metían en la cama con ellos. Más allá del cercado, el bosque se alzaba, espectral, a la luz de la luna, y a través de aquella débil agitación, a través de los tenues sonidos de aquel lamentable recinto, el silencio de la tierra se le metía a uno en el mismísimo corazón: su misterio, su grandeza, la prodigiosa realidad de la vida que ocultaba. El negro herido se lamentaba quedamente cerca de allí, y de pronto lanzó un profundo suspiro que me hizo rectificar mi camino para alejarme de allí. Noté que una mano se introducía bajo mi brazo. "Mi querido caballero —dijo aquel hombre—, no quisiera que nadie me malinterpretase, y mucho menos usted, que verá al señor Kurtz mucho antes de que yo pueda tener tal placer. No me gustaría que él se formase una idea equivocada de mi disposición...".

»Dejé continuar a aquel Mefistófeles de cartón piedra y me dio la impresión de que, si me lo proponía, podría atravesarlo con el dedo índice sin encontrar en su interior otra cosa que un poco de suciedad suelta, tal vez. Aquel hombre, ¿no os dais cuenta?, había estado planeando ascender poco a poco hasta el puesto de subdirector a las órdenes del actual responsable, y comprendí que la llegada del tal Kurtz los había disgustado a ambos, y no poco. Hablaba precipitadamente, y yo no intenté detenerlo. Tenía la espalda apoyada contra los restos de mi vapor, varado en la empinada orilla como el cadáver de algún enorme animal de río. El olor a fango, a fango primordial, ¡por Júpiter que me llenaba la nariz!; la profunda quietud del bosque primigenio ante mis ojos; manchas centelleantes en el negro arroyo. La luna había extendido una fina capa de plata sobre todo aquello: sobre la espesa hierba, sobre el fango, sobre el muro de densa vegetación, más alto que las paredes de un templo, sobre el gran río que se veía centellear a través de un oscuro hueco, centellear mientras fluía, ancho y sin un murmullo. Todo aquello era grandioso, expectante, mudo, y aquel hombre no paraba de parlotear sobre sí mismo. Me preguntaba si aquella quietud en la faz de la inmensidad que nos observaba a ambos pretendía ser una llamada o una amenaza. ¿Qué éramos nosotros, los que nos habíamos extraviado en aquella tierra? ¿Seríamos capaces de dominar aquel mutismo, o caeríamos dominados por él? Sentí lo grande, lo inmenso que era aquella cosa incapaz de hablar y que, quizá, también era sorda. ¿Qué había allí? Había visto llegar desde allá un poco de marfil y sabía también que Kurtz estaba allí. Y, desde luego, ya me habían hablado bastante sobre el tema, ¡bien lo sabe Dios! Y, sin embargo, no lograba crearme una imagen mental, no más que si me hubieran dicho que allí moraba un ángel o un demonio. Lo creía igual que se puede uno creer que el planeta Marte está habitado. En cierta ocasión conocí a un fabricante de velas escocés que tenía la convicción, la convicción absoluta, de que en Marte había gente. Si se le preguntaba cuál creía que era su aspecto y cómo se comportaba, mascullaba con timidez algo sobre "caminar a cuatro patas". Si te atrevías siquiera a sonreír, y aunque ya había cumplido los sesenta años, te desafiaba a una pelea. Yo no hubiera llegado a tanto como a pelearme por Kurtz, pero a punto estuve de mentir por él. Sabéis que detesto, que odio, que no puedo soportar la mentira; no porque sea más recto que los demás, sino, sencillamente, porque me horroriza. La mentira está contaminada de muerte, tiene cierto sabor a mortalidad, que es exactamente lo que detesto y aborrezco del mundo, lo que quisiera olvidar. Me entristece y me asquea, como morder algo putrefacto. Supongo que es cuestión de temperamento. Pues bien, me acerqué mucho a la mentira al permitir que aquel joven insensato creyese lo que quisiera imaginar sobre mis influencias en Europa. En un instante me convertí en algo tan fraudulento como el resto de los embrujados peregrinos; simplemente porque tenía la idea de que, de alguna manera, le serviría de ayuda a aquel Kurtz a quien por aquel entonces no había visto siquiera. Ya ven. Para mí no era más que una palabra. En aquel nombre yo no veía a la persona más que vosotros ahora. ¿Lo veis, acaso? ¿Veis su historia? ¿Veis algo? Tengo la impresión de estar contándoos un sueño, de que mi intento es en vano porque ningún relato de un sueño puede transmitir esa sensación onírica, esa combinación de absurdo, sorpresa y perplejidad en un temblor de pugna agónica; esa sensación de hallarse atrapado por lo increíble, la misma esencia de los sueños...

Permaneció un rato en silencio.

—No, es imposible; es imposible transmitir la vívida sensación de una época determinada de la propia existencia; aquello que la hace real, su significado, su esencia sutil y penetrante. Es imposible. Vivimos igual que soñamos: solos...

Volvió a hacer una pausa, como si reflexionase, y añadió:

—Por supuesto, vosotros, amigos, veis más ahora de lo que podía ver yo entonces. Vosotros me veis a mí, y ya me conocéis...

La oscuridad se había hecho tan profunda que nosotros, sus oyentes, apenas nos veíamos unos a otros. Ya hacía un buen rato que él, sentado aparte, no era más que una voz. Nadie pronunciaba una palabra. Quizá los demás se hubieran dormido, pero yo estaba despierto. Escuchaba; escuchaba y esperaba a oír la frase, la palabra que explicase la ligera incomodidad que inspiraba aquella narración que parecía tomar forma, sin la ayuda de unos labios humanos, en el cargado aire nocturno del río.

—Sí, le dejé que continuara hablando —prosiguió Marlow— y que creyera lo que quisiese sobre los poderes que me respaldaban. ¡Se lo permití! ¡Y no me respaldaba nada! Lo único que me guardaba la espalda era aquel viejo vapor destartalado y miserable en el que me apoyaba mientras él hablaba con desenvoltura sobre «la necesidad de que cada uno siga adelante». «Y cuando se viene aquí, ya se imaginará que no es para contemplar la luna». El señor Kurtz era un «genio universal», pero incluso a un genio le resulta más fácil trabajar con «herramientas adecuadas: hombres inteligentes». Él no fabricaba ladrillos (¡cielos!, se había encontrado con una imposibilidad física), como bien sabía yo, y solo realizaba trabajo administrativo para el director porque «ningún hombre sensato rechaza alegremente la confianza de sus superiores». ¿Me daba cuenta? Me daba cuenta. ¿Qué más quería? ¡Lo que quería eran remaches, por el amor de Dios! Remaches. Para empezar a trabajar, para cubrir el agujero. Quería remaches. Había cajas y cajas río abajo, en la costa. ¡Cajas! Apiladas, rotas, a reventar de remaches. En el recinto de aquella estación de la colina te tropezabas con un remache perdido a cada dos pasos. Habían llegado rodando hasta la arboleda de la muerte. Podía uno llenarse los bolsillos de remaches solo con tomarse la molestia de agacharse y, sin embargo, no había manera de encontrar uno solo donde eran necesarios. Disponíamos de planchas que podrían servir, pero nada con qué sujetarlas. Y todas las semanas, el mensajero, un negro solitario, partía hacia la costa desde nuestra estación, cayado en mano. Y varias veces a la semana llegaba una caravana de la costa con artículos para comerciar: calicó con un brillo tan horrible que te entraban escalofríos con solo mirarlo, cuentas de cristal de un penique el cuarto, condenados pañuelos de algodón estampados con lunares. Y ni un solo remache. Tres porteadores podrían haber traído todo lo que hacía falta para poner a flote aquel vapor.

»Empezó a hacerme confidencias, pero me figuro que por fin mi actitud había logrado exasperarlo, porque juzgó necesario informarme de que no temía ni a Dios ni al diablo y mucho menos a un simple mortal. Le dije que se veía claramente, pero que lo que yo quería era cierta cantidad de remaches y que remaches eran lo que querría el señor Kurtz, de estar enterado. Todas las semanas se enviaban cartas a la costa... "Señor mío —exclamó—, escribo al dictado". Yo necesitaba remaches. Un hombre inteligente siempre encontraba un modo. Cambió de actitud: se tornó muy frío y comenzó, de pronto, a hablar de un hipopótamo, preguntándose si no me molestaba al dormir a bordo del vapor (yo permanecía fiel a aquella ruina noche y día). Había un hipopótamo viejo que tenía la mala costumbre de salir a la orilla y pasearse por los terrenos de la estación durante la noche. Los peregrinos salían en tropel y descargaban todos los rifles que cayeran en sus manos. Alguno incluso había llegado a pasar la noche en vela por él. Pero toda aquello era un desperdicio de energía. "La vida de ese animal la protege un hechizo —dijo—, pero en este país solo se puede decir eso de las bestias. Ningún hombre, ¿me entiende?, ningún hombre cuenta con ese privilegio". Se quedó así un momento, bajo la luz de la luna, con su delicada nariz aguileña un poco ladeada y sus ojos de mica reluciendo sin un parpadeo, y entonces, con un seco "Buenas noches", se alejó. Me di cuenta de que estaba alterado y considerablemente confundido, cosa que me hizo sentirme más esperanzado que en muchos días. Fue un alivio dejar a aquel hombre para regresar a mi influyente amiga: la cafetera que era aquel vapor desvencijado, retorcido y destrozado. Trepé a bordo. El barco sonaba bajo mis pies como una lata vacía de galletas Huntley & Palmers dando tumbos cañería abajo: no era de construcción muy sólida y su forma dejaba aún más que desear, pero había invertido suficiente esfuerzo en él para cogerle cariño. Ningún otro amigo con influencias me hubiera hecho mejor servicio. Me había proporcionado la oportunidad de revelarme y descubrir de qué era capaz. No, no me gusta trabajar. Prefiero holgazanear mientras pienso en todo lo que se podría hacer. No me gusta trabajar, no le gusta a nadie, pero me gusta lo que implica el trabajo, la oportunidad de encontrarse a uno mismo. La propia realidad (para uno mismo, no para los demás), aquello que no puede llegar a conocer ningún otro. Los demás solo ven un mero espectáculo y nunca podrán comprender lo que de verdad significa.

»No me sorprendió ver que había alguien sentado a popa, en cubierta, con las piernas colgando sobre el fango. Veréis, había hecho bastantes buenas migas con los pocos mecánicos que había en la estación, a los que los demás peregrinos trataban con natural desprecio, a causa de sus rudos modales, supongo. Aquel era el capataz, calderero de oficio y buen trabajador. Era un hombre flaco, huesudo, de cara amarillenta, con unos ojos grandes e intensos. Tenía aspecto de preocupado y era calvo como la palma de mi mano, pero el pelo que le faltaba en la cabeza parecía habérsele pegado a la barbilla y haber prosperado en su nuevo emplazamiento, pues la barba le llegaba hasta la cintura. Era viudo y tenía seis hijos a los que había dejado a cargo de una hermana suya para venir a aquellas tierras, y la pasión de su vida eran las palomas mensajeras. Tenía un gran entusiasmo y amplios conocimientos sobre el tema. Se volvía loco con las palomas. Al terminar la jornada de trabajo, a veces venía desde su cabaña para hablarme de sus hijos y sus palomas; durante el trabajo, cuando tenía que arrastrarse por el fango bajo el fondo del vapor, se envolvía aquella barba suya en una especie de servilleta blanca que se había traído para tal propósito. Tenía unas lazadas con las que se sujetaba a las orejas. Por las noches se lo veía, acuclillado en la orilla, enjuagando aquella funda en el arroyo con el mayor cuidado, para luego tenderla en un arbusto con solemnidad.

»Le di una palmada en la espalda y grité: "¡Vamos a tener remaches!". Se puso en pie como un resorte. "¡No! ¿Remaches? —dijo como si no pudiese creer lo que oía, y en voz baja añadió—: Usted..., ¿eh?". No sé por qué nos comportábamos como lunáticos. Me toqué un lado de la nariz y asentí misteriosamente. "Bien hecho", exclamó, chasqueando los dedos sobre la cabeza y levantando un pie. Bailoteé un poco y ambos brincamos sobre la cubierta de hierro. El casco emitió un repiqueteo atronador y la selva virgen de la otra ribera del río nos lo devolvió como un redoble estrepitoso sobre la estación somnolienta. Seguro que unos cuantos peregrinos se despertaron en sus chozas. Una figura oscura eclipsó la luz de la entrada de la cabaña del director, desapareció y luego, como un segundo después, la propia entrada desapareció también. Nos detuvimos, y el silencio disipado por el estruendo de nuestros pies regresó, deslizándose desde los rincones más escondidos de aquella tierra. La gran muralla de vegetación, una exuberante e intrincada masa de troncos, ramas, hojas, tallos, guirnaldas, inmóviles bajo la luna, semejaba una amotinada invasión de silenciosa vida; una arrolladora ola de plantas, acumulándose, encrespándose, lista para romper sobre el arroyo, para arrastrar a cada uno de los hombrecillos que allí estábamos y borrarnos de la existencia. Pero no se movía. Nos llegó desde lejos un estallido atenuado de fuertes chapoteos y resoplidos, como si un ictiosauro se estuviese dando un baño de resplandor en el gran río. "Al fin y al cabo —dijo el calderero en tono responsable—, ¿por qué no habríamos de conseguir los remaches?". Desde luego, ¿por qué no? No se me ocurría ninguna razón que lo impidiese. "Llegarán en tres semanas", le dije como si fuera una confidencia.

»Pero no fue así. En lugar de los remaches llegó una invasión, un castigo, un azote. Fue llegando en grupos durante las tres semanas siguientes, cada grupo encabezado por un blanco a lomos de un burro, con ropas nuevas y zapatos de cuero marrón, haciendo inclinaciones a izquierda y derecha desde su altura, para impresionar a los peregrinos. A los talones del burro trotaba una cuadrilla pendenciera de negros con el ceño fruncido y los pies destrozados; descargaban una gran cantidad de tiendas, banquetas plegables, cajas de metal, cajones blancos, fardos marrones, y el aire de misterio se enrarecía un poco más sobre el fango de la estación. Llegaron cuatro de aquellos grupos, con su aire absurdo de desordenada huida, con el botín de innumerables tiendas de confección y almacenes de provisiones, que daba toda la impresión de que, tras el pillaje, lo estaban acarreando a aquella tierra indómita para dividirlo a partes iguales. Era aquella una mezcolanza inextricable de cosas de un valor bastante aceptable, pero que la insensatez humana hacía parecer el expolio de un robo.

»Esta entregada cuadrilla se hacía llamar Expedición de Exploración Eldorado, y estoy convencido de que se habían juramentado para guardar el secreto. Sin embargo, su conversación era propia de sórdidos bucaneros: era temeraria sin osadía, codiciosa sin audacia, y cruel sin valor; no había un átomo de previsión ni de serias intenciones en todo el lote, y no parecían conscientes de que estas son cosas necesarias para enfrentarse al mundo. Su deseo era arrancar los tesoros de las entrañas de la tierra, sin otro propósito moral que el de una banda de ladrones al descerrajar una caja de caudales. Quién pagaba los gastos de tan noble empresa, lo desconozco, pero el jefe de aquella pandilla era el tío de nuestro director.

»Su apariencia exterior era la de un carnicero de un barrio pobre, y sus ojos tenían una mirada llena de malicia durmiente. Portaba con ostentación una oronda panza sobre las cortas piernas, y durante el periodo en que su cuadrilla infestó la estación no habló con nadie más que con su sobrino. Se los veía merodear todo el día, con las cabezas bien juntas confabulando incesantemente.

»Ya había renunciado a preocuparme por los remaches. Nuestra capacidad para esa clase de sinsentidos es más limitada de lo que suponemos. Me dije: "¡Al cuerno!", y lo dejé correr. Disponía de mucho tiempo para meditar y de vez cuando pensaba un poco en Kurtz. No me interesaba mucho, no. Y sin embargo, sentía curiosidad por ver si aquel hombre, que había llegado equipado con ideas morales de alguna clase, lograría, al fin, escalar hasta la cima, y cómo desempeñaría su labor una vez allí.

CAPÍTULO II

Una tarde, me encontraba tendido sobre la cubierta de mi vapor, cuando oí unas voces que se acercaban; y allí estaban, sobrino y tío, paseando junto a la orilla. Volví a recostar la cabeza sobre el brazo, y casi me había sumido en la somnolencia, cuando alguien me habló al oído, por así decirlo: "Soy tan inofensivo como un niñito, pero no me gusta que me den órdenes. ¿Soy el director o no? Me ordenaron que lo enviase allá. Es increíble"... Me di cuenta de que ambos estaban de pie en la orilla, junto a la proa del vapor, justo debajo de mi cabeza. No me moví. No se me ocurrió moverme: estaba casi dormido. "Sí que es desagradable", gruñó el tío. "Fue él quien solicitó a la administración que lo enviasen allí —dijo el otro—, con la intención de demostrar de lo que era capaz, y a mí me dieron instrucciones en ese sentido. Fíjese las influencias que debe de tener. ¿No es terrible?”. Ambos estuvieron de acuerdo en que lo era y después hicieron una serie de comentarios extraños: “Que llueva y haga buen tiempo..., un hombre..., el consejo..., a su antojo”, fragmentos de frases absurdas que acabaron con mi modorra, así que ya había recuperado la lucidez casi por completo cuando el tío dijo: “El clima puede acabar con esta dificultad tuya. ¿Estás solo en esto?”. “Sí —respondió el director—, envió a su asistente río abajo con una nota que decía: ‘Eche a ese pobre diablo del país y no se moleste en enviarme ningún otro de esa calaña. Prefiero continuar solo antes que tener conmigo a la clase de hombres de los que usted pueda prescindir’. Eso fue hace más de un año. ¿Te imaginas semejante desfachatez?”. “¿Y algo más desde entonces?”, —preguntó el otro con voz áspera. “Marfil —contestó bruscamente el sobrino—, a montones, de la mejor clase, montañas. Muy fastidioso por su parte”. “¿Y eso a ti qué te importa?”, cuestionó la voz grave. “La factura”, fue la respuesta que, por así decirlo, disparó el sobrino. Y luego, el silencio. Estaban hablando de Kurtz.

»Estaba completamente despierto para entonces, pero, como me hallaba tendido cómodamente, permanecí sin moverme, pues nada me inducía a cambiar de posición. “¿Cómo llegó hasta aquí el marfil?”, gruñó el más viejo, que parecía muy enojado. El otro le explicó que había llegado en una flota de canoas a cargo de un empleado inglés mestizo que Kurtz tenía a su cargo; que parecía ser que Kurtz tenía la intención de volver en persona, pues por aquel entonces la estación estaba casi desprovista de mercancías y suministros, pero que, tras casi trescientas millas de camino, había decidido dar media vuelta de improviso, cosa que hizo solo en una piragua con cuatro remeros, dejando al mestizo que continuase río abajo con el marfil. Los dos sujetos parecían perplejos ante la idea de que a alguien se le ocurriese hacer semejante cosa. Carecían de motivos adecuados. En cuanto a mí, me pareció ver a Kurtz por primera vez. Fue una visión breve pero nítida: la piragua, los cuatro remeros salvajes, y un solitario hombre blanco dándole de pronto la espalda a la estación central, al descanso, al recuerdo del hogar, quizá; dirigiendo su mirada hacia la profundidad de la tierra salvaje, hacia su estación vacía y desolada. El motivo me era desconocido. Quizá se trataba simplemente de un hombre honrado que se entregaba al trabajo por su propia ética. Entended que no se había pronunciado su nombre ni una sola vez. Era "ese hombre". Al mestizo que, por lo que entendí, había realizado aquel difícil viaje con gran prudencia y coraje, se referían invariablemente como "ese sinvergüenza". El "sinvergüenza" los había informado de que el "hombre" había estado muy enfermo y no se había recuperado por completo... Los dos que estaban debajo de mí se alejaron entonces unos cuantos pasos y paseaban de un lado a otro a corta distancia. Escuché: "Puesto militar..., doctor..., trescientos kilómetros..., ahora está prácticamente solo..., retrasos inevitables..., nueve meses..., sin noticias..., extraños rumores". Volvieron a acercarse, justo en el momento en que el director decía: "Nadie, que yo sepa, salvo una especie de comerciante errante, una serpiente venenosa que les arrebata el marfil a los nativos". ¿De quién estaban hablando? Deduje de los retazos que se trataba de un hombre que debía de encontrarse en el distrito de Kurtz y que no contaba con la aprobación del director. "No nos libraremos de la competencia desleal hasta que a uno de esos individuos lo cuelguen para dar ejemplo", dijo. "Desde luego —gruñó el otro—, ¡haz que lo ahorquen! ¿Por qué no? En este país se puede hacer cualquier cosa, ¡lo que sea! Eso es lo que yo te digo, nadie de aquí, de aquí, ¿me entiendes?, puede hacer peligrar tu posición. ¿Y por qué? Porque tú soportas el clima y aguantas más que cualquier otro. El peligro se encuentra en Europa, pero allí, antes de partir, ya me encargué yo de..." Se apartaron y susurraron, luego sus voces se alzaron otra vez. "La extraordinaria serie de retrasos no es culpa mía. Hice cuanto pude." El hombre grueso suspiró: "Lamentable". "Y su charla repugnante y absurda —continuó el otro— no hizo más que molestarme durante su estancia aquí: 'Todas las estaciones deberían ser como faros en el camino hacia cosas mejores, centros de comercio, por supuesto, pero también deben humanizar, mejorar, instruir'. ¡Imagínate qué asno! ¡Y quiere llegar a director! No, es"... Ahí se ahogó de excesiva indignación, y yo levanté la cabeza, un poco. Me sorprendí al comprobar lo cerca que se encontraban, justo debajo de mí. Hubiera podido escupirles en el sombrero. Estaban mirando al suelo, absortos en sus pensamientos. El director se daba golpecitos en la pierna con una rama delgada; su sagaz pariente levantó la cabeza. "¿Has estado bien desde que saliste de la última?", preguntó. El otro se sobresaltó: "¿Quién, yo? ¡Oh, de maravilla, de maravilla! Pero los demás... ¡Dios mío! Todos enfermos. Y además se mueren tan deprisa que no me da ni tiempo de sacarlos del país. ¡Es increíble!". "Hum... Justo lo que yo decía —gruñó el tío—. Confía en esto, hijo. Te digo que confíes en esto". Lo vi extender su corto brazo, como una aleta, en un gesto que abarcaba el bosque, el arroyo, el fango, el río. Parecía hacer una señal con un deshonroso ademán en presencia de la faz de la tierra iluminada por el sol; una llamada traicionera a la acechante muerte, al mal oculto, a las profundas tinieblas de su corazón. Me resultó tan sobrecogedor que me puse en pie de un salto y observé la linde del bosque, como si esperase alguna clase de respuesta a aquella negra muestra de confianza. Ya sabéis las ideas tan desatinadas que se le ocurren a veces a uno. Aquella densa quietud les hacía frente a aquellas dos figuras con su ominosa paciencia, aguardando a que aquella fantástica visión se extinguiese.

»Los dos renegaron en voz alta al unísono (de puro miedo, creo yo), y luego, fingiendo no darse por enterados de mi existencia, regresaron a la estación. El sol estaba bajo e, inclinados hacia delante, caminando juntos, parecían remolcar penosamente cuesta arriba sus dos ridículas sombras de dispar tamaño, que se arrastraban despacio sobre la hierba alta, sin doblar una sola brizna.

»En pocos días, la Expedición Eldorado partió hacia la paciente jungla, que se cerró sobre ella como se cierra el mar sobre un buzo. Mucho después llegó la noticia de que todos los burros habían muerto. Nada sé del destino de los animales menos valiosos. Sin duda encontraron, como todos nosotros, lo que se merecían. Tampoco hice averiguaciones. Para aquel entonces estaba bastante emocionado ante la perspectiva de conocer a Kurtz muy pronto. Cuando digo "muy pronto" me refiero en comparación: habían pasado justo dos meses desde el día en que abandoné el arroyo cuando llegué a la ribera al pie de la estación de Kurtz.

»Remontar aquel río era como retroceder a los primeros inicios del mundo, cuando la vegetación se agolpaba, tumultuosa, en la tierra y reinaban en ella árboles enormes. Una corriente vacía, un gran silencio, un bosque impenetrable. El aire era cálido, denso, pesado, indolente. No había júbilo en la brillante luz del sol. Las largas ramas del cauce se perdían, desiertas, en la penumbra de la sombría distancia. Hipopótamos y cocodrilos tomaban el sol lado con lado en arenosos bancos de arena plateada. Las aguas se ensanchaban, fluyendo a través de una multitud de islas boscosas; podía uno perderse en el río como se pierde en el desierto, y nos pasábamos el día topándonos con bancos de arena, intentando encontrar el canal hasta llegar a creernos embrujados y aislados para siempre de todo lo que habíamos conocido en otro lugar remoto, quizás en otra existencia. Había momentos en los que nos asaltaba el pasado, como ocurre en ocasiones cuando no se dispone de un solo momento para uno mismo, pero tomaba la forma de un sueño ruidoso e intranquilo, recordado con asombro en medio de las sobrecogedoras realidades de aquel extraño mundo de plantas, agua y silencio. Y aquella quietud de la vida no se parecía a la paz en lo más mínimo. Era la quietud de una fuerza implacable que se cernía sobre nosotros con intención inescrutable. Te observaba con aspecto vengativo. Más adelante acabé acostumbrándome, ya ni siquiera la veía; no disponía de tiempo. Continuamente tenía que adivinar dónde se encontraba el canal; tenía que discernir, casi únicamente por inspiración, las señales de bancos ocultos; buscaba piedras hundidas; estaba aprendiendo a apretar los dientes de golpe antes de que me diera un salto el corazón, cuando por pura suerte pasaba rozando algún maldito tronco muerto, viejo y oculto que hubiera segado la vida de aquella cafetera de vapor y ahogado a todos los peregrinos; tenía que estar en guardia para detectar las señales de madera muerta que por la noche podríamos cortar para usar como combustible en las calderas al día siguiente. Cuando hay que estar pendiente de esas cosas, los meros incidentes de la superficie, la realidad (la realidad, os digo) se desvanece. La verdad interior permanece oculta, por suerte, por suerte. Sin embargo, yo continuaba sintiéndola: con frecuencia notaba su misteriosa quietud observando mis travesuras, igual que os observa a vosotros, amigos, en vuestros respectivos números de funambulismo, ¿por cuánto?, ¿media corona la voltereta?

—Un poco más de respeto, Marlow —gruñó una voz, y así supe que había al menos otro oyente despierto, además de mí.

—Os pido disculpas, me he olvidado de la angustia que va incluida en el precio. Y, en realidad, ¿qué importa el precio si se ejecuta bien el número? Vuestros trucos son excelentes. Y yo tampoco lo hice mal, pues logré no hundir aquel vapor en mi primer viaje. Todavía me maravillo. Imaginaos a un hombre con los ojos vendados conduciendo un carromato por una mala carretera. Aquella empresa me costó considerables sudores y escalofríos, os lo aseguro. Al fin y al cabo, no hay pecado más imperdonable para un marino que rozar el fondo de la embarcación que debiera flotar todo el tiempo que permanezca a su cuidado. Es posible que no llegue a enterarse nunca nadie, pero uno no se olvida de ese roce, ¿no es cierto? Es un golpe en el mismo corazón. Lo recuerdas, sueñas con él, te despiertas por la noche pensando en él, incluso años después, y te entran sudores y escalofríos por todo el cuerpo. No pretendo decir que el vapor flotase todo el tiempo. En más de una ocasión tuvo que vadear un rato, con veinte caníbales empujándolo y chapoteando a su alrededor. A algunos de aquellos tipos los alistamos en la tripulación por el camino. Buenos chicos, a su manera, esos caníbales. Eran gente con la que se podía trabajar y me siento agradecido por ello. Y, al fin y al cabo, no se comían los unos a los otros delante de mis narices: habían venido provistos de carne de hipopótamo que acabó por pudrirse e hizo que el misterio de las tierras salvajes se me quedase pegado a las fosas nasales. ¡Puf! Todavía lo estoy oliendo. Llevaba a bordo al director y a tres o cuatro peregrinos con sus cayados, todo el lote al completo. En ocasiones llegábamos hasta una estación cercana a la orilla, aferrada a la falda de lo desconocido, y los hombres blancos que salían en tropel de algún barracón desmoronado, con grandes gestos de alegría y sorpresa y bienvenida, resultaban muy extraños: tenían todo el aspecto de encontrarse allí cautivos por algún sortilegio. La palabra «marfil» resonaba en el aire durante un rato y allá que nos íbamos, hacia el silencio, a lo largo de tramos anchos, rectos y vacíos, doblando los mansos recodos, entre las altas riberas de nuestro serpenteante camino, el pesado golpeteo de las paletas de la rueda de popa reverberando como palmas sordas. Árboles, árboles, millones de árboles; colosales, inmensos, elevándose en las alturas. Y a sus pies, ciñendo la orilla contra la corriente, serpenteaba el pequeño vapor tiznado, como un escarabajo perezoso reptando por el suelo de un pórtico grandioso. Te hacía sentir muy pequeño, muy perdido y, sin embargo, era un sentimiento que no resultaba deprimente por completo. Al fin y al cabo, aunque fuera uno pequeño, el mugriento escarabajo continuaba reptando, precisamente lo que uno deseaba que hiciera. Hacia dónde se imaginaban los peregrinos que reptaba, no lo sé. Hacia algún lugar donde esperaban obtener algún provecho, me juego cualquier cosa. Para mí, reptaba hacia Kurtz, única y exclusivamente. Pero cuando el vapor empezó a tener fugas reptamos muy despacio. El cauce se abría ante nosotros y se cerraba a nuestra popa, como si el bosque se hubiera adentrado en el agua para bloquearnos el camino de regreso. Nos adentrábamos cada vez más y más en el corazón de las tinieblas. Allí reinaba el silencio. Algunas noches remontaba el río un redoble de tambores tras un telón de árboles y allí permanecía, sin apagarse, pero débil, como si flotase en el aire sobre nuestras cabezas, hasta que rayaban las primeras luces del día. Si eran señal de guerra, de paz o de oración, no lo podíamos saber. La llegada del alba era anunciada por el descenso de una fría quietud: los leñadores dormían, sus hogueras ardían ya débilmente y el chasquido de una ramita lo hubiera sobresaltado a uno. Éramos seres errantes en una tierra prehistórica, en una tierra cuyo aspecto era el de un planeta desconocido. Podríamos haber imaginado que éramos los primeros hombres, tomando posesión de una herencia maldita que deberíamos someter a costa de profundas angustias y un esfuerzo excesivo. Pero, de pronto, cuando luchábamos por doblar un recodo, se vislumbraban paredes de juncos, puntiagudos techos de hierba, un estallido de gritos, un remolino de negras extremidades, una masa de manos dando palmas, de pies pisoteando, de cuerpos cimbreantes, de ojos que nos seguían bajo el dosel del follaje, pesado e inmóvil. El vapor avanzaba penosa y lentamente, bordeando un negro e incomprensible frenesí. El hombre prehistórico nos maldecía, nos adoraba, nos daba la bienvenida..., ¿cómo saberlo? Estábamos incapacitados para comprender lo que nos rodeaba: pasábamos deslizándonos como fantasmas, haciéndonos preguntas y secretamente desolados, como hombres cuerdos ante un brote de entusiasmo en un manicomio. No podíamos comprenderlo porque nos hallábamos demasiado lejos, ni tampoco podíamos recordarlo porque viajábamos en la noche de los tiempos, de aquellos tiempos perdidos ya, que han dejado apenas algunas huellas y ningún recuerdo.

»La tierra no parecía terrenal. Estábamos acostumbrados a verla bajo la forma encadenada de un monstruo vencido, pero allí, allí se podía observar algo monstruoso y libre. No era terrenal y los hombres eran... No, no eran inhumanos. ¿Sabéis? Lo peor era eso: aquella sospecha de que no eran inhumanos. Te llegaba poco a poco. Aullaban y saltaban, y daban vueltas y hacían horribles muecas, pero lo que le helaba a uno la sangre era la idea de su humanidad, la misma humanidad que la propia, la idea de tu remoto parentesco con aquella excitación salvaje y apasionada. Desagradable. Era francamente desagradable, pero si uno tenía la hombría suficiente, acababa por admitir que en su interior habitaba una ligerísima respuesta a la terrible verdad de aquel estruendo, una velada sospecha de que albergaba un significado que uno (un yo remotísimo, de la noche de los tiempos) era capaz de comprender. ¿Y por qué no? La mente es capaz de cualquier cosa, porque todo está en ella, todo el pasado y también todo el futuro. ¿Qué encerraba todo aquello, al fin y al cabo? Gozo, miedo, sufrimiento, devoción, valor, furia... ¿Quién sabría decirlo? Pero contenía verdad: una verdad desnuda de su manto del tiempo. Que el necio se asombre y se estremezca; el hombre lo sabe y es capaz de contemplar esa verdad sin pestañear. Pero debe ser al menos tan hombre como aquellos de la orilla. Debe enfrentarse a esa verdad con la suya propia, con su propia fuerza innata. Los principios no sirven. Adquisiciones, ropas..., bonitos harapos, harapos que se llevaría el viento a la primera sacudida. No, es necesaria una creencia consciente. ¿Que hay algo que me llama en ese diabólico alboroto? Muy bien, de acuerdo, lo admito; pero yo también tengo voz, y para bien o para mal mi discurso no será silenciado. Por supuesto, el necio, con sus buenos sentimientos y su puro miedo, siempre está a salvo. ¿Quién es el que rezonga? ¿Os preguntáis si bajé a tierra para aullar y danzar? Pues no, no desembarqué. ¿Por mis buenos sentimientos, decís? ¡Se pueden ir al cuerno, los buenos sentimientos! No tenía tiempo. Estaba demasiado ocupado cubriendo las fugas de las tuberías del vapor con jirones de mantas de lana y albayalde, os lo aseguro. Tenía que vigilar el timón y sortear aquellos troncos hundidos, y conseguir que aquella cafetera avanzase por las buenas o por las malas. Había en todas aquellas cosas suficiente verdad superficial para salvar a un hombre más sabio. Y de cuando en cuando debía ocuparme del salvaje que hacía de fogonero. Se trataba de un espécimen mejorado, pues era capaz de alimentar una caldera vertical. Se hallaba justo debajo de mí y os doy mi palabra de que observarlo era tan edificante como ver a un perro ejecutar una parodia con bombachos y un sombrero de plumas, caminando sobre las patas de atrás. Unos cuantos meses de preparación habían sido suficientes para aquel incomparable muchacho. Escudriñaba el manómetro del vapor y el indicador de nivel del agua en un evidente esfuerzo de valor; el pobre diablo, además, se había afilado los dientes y tenía la lana del pelo de su coronilla afeitada formando extraños dibujos y tres cicatrices ornamentales en cada mejilla. Tendría que haber estado dando palmas y pateando en la ribera, pero en lugar de eso se esforzaba en su trabajo, esclavo de una extraña brujería, lleno de edificantes conocimientos. Era útil porque se le había instruido y lo que sabía era lo siguiente: que si desaparecía el agua de aquella cosa transparente, el espíritu maligno que contenía la caldera se enfadaría a causa de su enorme sed, y su venganza sería terrible. De modo que sudaba, alimentaba la caldera y observaba el cristal con temor (con su improvisado amuleto que se había fabricado con trapos atado al brazo, y un trozo de hueso pulido, del tamaño de un reloj, incrustado de través en el labio inferior), mientras las boscosas riberas se deslizaban lentamente a nuestro paso, el breve ruido quedaba atrás, interminables millas de silencio se extendían ante nosotros y continuábamos arrastrándonos hacia Kurtz. Pero los troncos hundidos eran grandes; las aguas, traicioneras y poco profundas; la caldera parecía tener de verdad un demonio furioso en su interior y, así, ni el fogonero ni yo mismo disponíamos de tiempo alguno para asomarnos a nuestros pensamientos más perturbadores.

»A unas cincuenta millas corriente abajo de la estación del interior nos encontramos con una choza de juncos, un mástil abatido y melancólico con los irreconocibles jirones de lo que una vez fue una bandera ondeando en él, y una pila de leña para el fuego cuidadosamente amontonada. Aquello era inesperado. Llegamos hasta la orilla, y sobre la pila de leña encontramos una tablilla con algo borroso escrito a lápiz. Cuando logramos descifrarlo vimos que decía: "Leña para ustedes. Apresúrense. Acérquense con precaución". Estaba firmado, pero la rúbrica era ilegible, aunque no era «Kurtz», sino una palabra mucho más larga. "Apresúrense". ¿Hacia dónde? ¿Río arriba? "Acérquense con precaución". No lo habíamos hecho, pero no era posible que aquella advertencia se refiriese a un lugar al que era necesario aproximarse. Había problemas río arriba, pero ¿de qué tipo y de cuánta gravedad? Esa era la pregunta. Criticamos la estupidez de aquel estilo telegráfico. La espesura que nos rodeaba no indicaba nada y tampoco nos permitía investigar mucho más allá. De la entrada de la choza colgaba una cortina de sarga roja rasgada que aleteaba tristemente ante nuestros ojos. La vivienda estaba patas arriba, pero era evidente que allí había vivido un blanco no mucho tiempo atrás. Todavía quedaba una mesa rudimentaria (un tablón con dos maderos); en el rincón más oscuro reposaba una pila de basura, y, junto a la puerta, recogí un libro. Había perdido las tapas, y las páginas estaban tan manoseadas que se habían quedado extremadamente blandas y sucias; pero el lomo lo habían recosido con cariño con hilo blanco de algodón, que todavía parecía limpio. Fue un hallazgo extraordinario. El título era *Investigación sobre algunos aspectos de la náutica*, de un tal Tower, Towson o un nombre por el estilo, capitán de la marina de Su Majestad. El tema parecía bastante aburrido, con diagramas ilustrativos y repelentes tablas con cifras, y el ejemplar tenía sesenta años. Tomé aquella sorprendente antigualla con el mayor de los cariños, no fuera a deshacérseme entre las manos. En su interior, Towson o Tower realizaba una rigurosa investigación sobre la tensión máxima de las cadenas y los aparejos de los buques y otras cuestiones semejantes. No era un libro muy apasionante, pero con solo un vistazo se apreciaba un objetivo preciso, una preocupación sincera por la mejor manera de emprender una tarea, lo que confería a aquellas humildes páginas, concebidas tantos años atrás, una luminosidad que no era meramente profesional. Aquel viejo y sencillo marino, con su charla sobre cadenas y jarcias, me hizo olvidar la jungla y los peregrinos con la deliciosa sensación de haber dado con algo inconfundiblemente real. La presencia allí de un libro como aquel era suficiente maravilla en sí misma, pero aún más sorprendentes eran las notas escritas a lápiz en los márgenes y que, claramente, hacían referencia al texto. ¡No podía dar crédito a mis ojos! ¡Estaban en lenguaje cifrado! Sí, parecían estar en clave. Imaginaos a un hombre que carga con un libro de semejantes características hasta un lugar dejado de la mano de Dios como aquel y lo estudia, y toma notas, ¡y en lenguaje cifrado, por si fuera poco! Era un misterio de lo más extravagante.

»Hacía un rato que era vagamente consciente de un ruido molesto, y cuando levanté la vista vi que la pila de leña había desaparecido y que el director, con la colaboración de los peregrinos, me gritaba desde la ribera del río. Me deslicé el libro en el bolsillo. Os aseguro que abandonar aquella lectura era como arrancarme del cobijo de una amistad antigua y sólida.

»Puse en marcha el renqueante motor. "Debe de tratarse de ese miserable comerciante, ese intruso", exclamó el director, volviendo con malevolencia la vista hacia el lugar que acabábamos de abandonar. "Debe de ser inglés", dije yo. "Eso no lo librará de meterse en un problema si no tiene cuidado", masculló el director, sombrío. Yo hice notar con premeditada inocencia que ningún hombre se encuentra a salvo de los problemas en este mundo.

»La corriente era entonces más rápida, el vapor parecía estar al borde del último suspiro, el golpeteo de la rueda de popa era lánguido, y yo me descubría a mí mismo intentando escuchar cada nuevo latido de la embarcación, con el alma en vilo, porque la pura verdad es que esperaba que aquel maltrecho trasto se rindiera en cualquier momento. Era como observar una vida que se extingue. Pero seguía avanzando penosamente. En ocasiones me fijaba en un árbol un poco alejado para medir nuestro avance hacia Kurtz, pero invariablemente acababa perdiéndolo antes de que llegásemos a su altura. Mantener la vista fija en una cosa durante tanto tiempo resultaba demasiado para la paciencia humana. El director mostraba una resignación magnífica. Yo me angustiaba y me encolerizaba, y me enzarzaba en discusiones conmigo mismo sobre si debería o no hablar con Kurtz sin ambages; pero antes de poder llegar a conclusión alguna se me ocurrió que mis palabras o mi silencio, es más, cualquier acción por mi parte no serían más que una simple futilidad. ¿Qué importancia tenía lo que cualquiera supiese o ignorase? ¿Qué importancia tenía quién fuese el director? A veces nos sobrevienen momentos de lucidez como aquel. Lo esencial de aquel asunto se ocultaba bajo la superficie, más allá de mi alcance, y también más allá de mi poder de intervención.

»Hacia la caída de la tarde del segundo día calculamos que nos encontraríamos a unas ocho millas de la estación del señor Kurtz. Yo quería continuar, pero el director me miró con gravedad y me dijo que la navegación resultaba tan peligrosa que sería recomendable, al estar ya el sol tan bajo, aguardar donde nos encontrábamos hasta la mañana siguiente. Es más, señaló que si deseábamos seguir la advertencia de aproximarnos con cuidado, deberíamos hacerlo a la luz del día, no en el crepúsculo o en la oscuridad. Me pareció bastante sensato. Ocho millas representaban unas tres horas de vapor para nosotros, y yo también veía sospechosas ondulaciones en el tramo superior del río. Sin embargo, aquel retraso me contrariaba hasta lo indecible y de la manera más irracional, ya que una noche poco podía importar después de tantos meses. Como disponíamos de madera abundante y nuestra consigna era la precaución, fondeé la embarcación en medio de la corriente. Era un tramo estrecho, recto, con riberas elevadas como taludes de una vía férrea. El crepúsculo se deslizó sobre el río mucho antes de que se pusiera el sol. La corriente fluía mansa y veloz, pero una muda inmovilidad cubría las riberas. Los árboles, vivos, entrelazados por las plantas trepadoras y los arbustos vivientes de la maleza, parecían haberse transformado en piedra, hasta la rama más delgada, hasta la hoja más ligera. No dormían; aquello no parecía natural, era como un trance. No se escuchaba ni el más leve sonido. Uno observaba, perplejo, y comenzaba a sospechar si no se habría quedado sordo. Y entonces la noche caía de pronto y te dejaba ciego también. Hacia las tres de la madrugada saltó un gran pez y el fuerte chapoteo me sobresaltó como el disparo de un arma. Cuando salió el sol estábamos rodeados de una neblina blanca, muy cálida y pegajosa, y más cegadora que la noche. No se movía ni avanzaba, permanecía allí, rodeándonos como si fuera sólida. A las ocho, o quizás a las nueve, se levantó como si se tratase de una persiana. Pudimos contemplar brevemente la multitud de altísimos árboles, la inmensa jungla enmarañada con la pequeña bola llameante del sol colgando sobre ella, todo en perfecta quietud, cuando de pronto aquella persiana blanca volvió a descender, con suavidad, como si se deslizase por unos engrasados rieles. Ordené que se largase de nuevo la cadena, que ya habíamos comenzado a levar. Antes de que terminase de caer con un repiqueteo sordo, un grito, un grito fortísimo, como de desolación infinita, se elevó lentamente en el aire opaco. Luego cesó. Un clamor lastimero, modulado en salvajes disonancias, nos llenó los oídos. Fue tan inesperado que el pelo se me erizó bajo el sombrero. No sé qué impresión les causó a los demás; a mí me pareció como si hubiese gritado la propia niebla: tan repentino había surgido aquel sonido clamoroso y lastimero que parecía llegar de todas partes a la vez. Culminó en un exceso de alaridos casi intolerable que estalló rápidamente y se detuvo de pronto, dejándonos congelados en las más variadas y ridículas posturas, escuchando con obstinación el silencio, casi igual de desolador y excesivo. "¡Dios santo! ¿Qué significa...?", balbuceó a mi lado uno de los peregrinos, un hombrecillo rechoncho, con pelo trigueño y patillas pelirrojas, que llevaba botas con suela de goma y unos pantalones de pijama de color rosa metidos por dentro de los calcetines. Otros dos se quedaron boquiabiertos un minuto entero y luego se abalanzaron hacia la pequeña cabina, para volver a salir en tromba y quedarse en cubierta, lanzando miradas de pánico, con sendos Winchester en las manos, dispuestos a disparar. No se veía otra cosa que el barco de vapor en el que nos encontrábamos, sus contornos borrosos como si estuviese a punto de disolverse, y una franja brumosa de agua, de poco más de medio metro de ancho, a su alrededor, y nada más. El resto del mundo no estaba, al menos para nuestros ojos y oídos. No existía. Se había esfumado, desaparecido; barrido sin dejar tras de sí más que un suspiro o una sombra.

»Me adelanté y ordené que tensaran la cadena, de modo que estuviésemos listos para levar el ancla y mover el vapor de inmediato si era necesario. "¿Atacarán?", susurró una voz turbada. “Nos van a masacrar a todos con esta niebla”, murmuró otra. Los rostros se crispaban de tensión, las manos temblaban ligeramente, los ojos se olvidaban de parpadear. Resultaba muy curioso observar el contraste entre las expresiones de los hombres blancos y los muchachos negros de la tripulación, que en aquella parte del río eran tan extranjeros como nosotros, aunque sus casas estuviesen solo a ochocientas millas de allí. Los blancos, que, por supuesto, estaban descompuestos, teníian además el curioso aspecto de hallarse dolorosamente atónitos por tan ofensivo alboroto. Los otros mostraban una expresión alerta, con un interés natural, pero sus rostros estaban tranquilos en esencia; uno o dos de ellos incluso sonreían mientras tiraban de la cadena. Varios intercambiaron unas frases cortas, casi gruñidos, con las que, al parecer, dieron por zanjado el asunto a su entera satisfacción. Su jefe, un negro joven de ancho pecho, ataviado sobriamente con ropajes ribeteados de azul oscuro, de feroces fosas nasales y pelo laboriosamente arreglado en aceitados bucles, se encontraba de pie junto a mí. “¡Ajá!”, dije, como muestra de buena camaradería. “Cójalos —me espetó, con los ojos dilatados e inyectados en sangre y un destello de sus afilados dientes—, cójalos. Dénoslos a nosotros”. “¿A vosotros? —le pregunté—. ¿Y qué haríais con ellos?”. “¡Comerlos!", dijo, cortante, y, apoyando el codo en la barandilla, miró hacia la niebla con una actitud digna y profundamente meditativa. Yo me hubiera quedado completamente horrorizado de no haberme dado cuenta de que tanto él como sus compañeros debían de estar muertos de hambre, y de que durante al menos el último mes su hambre tenía que haber ido creciendo cada vez más. Llevaban enrolados seis meses (dudo que ninguno de ellos tuviese un concepto claro del tiempo como el que hemos alcanzado nosotros al cabo de innumerables siglos, pues todavía pertenecían al inicio de los tiempos y no poseían ninguna experiencia heredada, por así decirlo), y, por supuesto, mientras existiese un trozo de papel escrito al amparo de alguna u otra ley absurda promulgada río abajo, a nadie se le pasaba por la cabeza siquiera el preocuparse de cómo iban a vivir. Es verdad que habían traído consigo algo de carne de hipopótamo podrida, que tampoco hubiera podido haberles durado mucho, aunque los peregrinos no hubiesen tirado una parte considerable por la borda, en medio de un tremendo alboroto. Esto podría parecer un acto despótico, pero en realidad fue un caso de legítima defensa. Es imposible estar oliendo a carne de hipopótamo descompuesta, despierto, dormido y comiendo, y conservar el precario apego a la existencia. Por otra parte, se le había dado a cada uno tres piezas de hilo de cobre de unos veinticinco centímetros cada una, con las que en teoría tenían que comprarse sus propias provisiones, usándolas como moneda en las aldeas de la ribera. Ya os imaginaréis lo bien que funcionó aquello. O bien no había tales aldeas, o los habitantes se mostraban hostiles, o el director, que, como todos los demás, se alimentaba de comida enlatada con el añadido ocasional de un poco de cabrito viejo, se negaba a detener el vapor alegando motivos más o menos peregrinos. De modo que, a menos que se tragasen el mismo alambre o hiciesen con él lazos para atrapar algún pez, no acabo de ver qué de bueno les podía reportar tan extravagante salario. Tengo que decir que se les pagaba con la regularidad digna de una compañía comercial grande y honorable. Por lo demás, lo único de comer que vi en su poder (aunque no tenía un aspecto ni mínimamente comestible) fueron unos pedazos de una sustancia parecida a masa a medio cocer, de color lavanda sucio, que guardaban envuelta en hojas y de la que se tragaban un trozo de vez en cuando, pero tan pequeño que más bien parecía que lo hacían por creerse que comían algo, y no por alimentarse de verdad. Por qué, en nombre de todos los insaciables demonios del hambre, no fueron a por nosotros (eran treinta contra cinco) para darse un buen atracón, al menos por una vez, es algo que me sigue desconcertando hoy en día, cuando lo pienso. Eran hombres grandes y poderosos, sin excesiva capacidad para valorar las consecuencias, con valentía, con fuerza, incluso entonces, aunque ya no les brillaba la piel ni tenían duros los músculos. Y me di cuenta de que allí había entrado en juego alguna inhibición, uno de esos secretos humanos que desafían la estadística. De pronto, mi interés hacia ellos aumentó considerablemente, pero no por haber caído en la cuenta de que podrían comérseme no tardando mucho, aunque debo admitir que hasta aquel momento no fui consciente —bajo una nueva luz, por decirlo de alguna manera— del aspecto tan malsano que tenían los peregrinos, y deseé, ¡sí, sin duda lo deseé!, que mi apariencia no resultase tan, ¿cómo decirlo?, tan poco apetitosa: un toque de delirante vanidad que casaba a la perfección con el sentimiento onírico que por aquel entonces invadía todos mis días. Quizá también tuviese un poco de fiebre. No se puede pasar uno la vida tomándose la temperatura. Con frecuencia tenía "algo de fiebre" o alguna que otra molestia, los juguetones zarpazos de la vida salvaje, las naderías que preceden a un ataque más serio que llega a su debido tiempo. Sí, los observé entonces como a cualquier ser humano, con curiosidad por sus impulsos, sus motivaciones, sus capacidades y debilidades al enfrentarse a una necesidad física inexorable. ¡Contención! ¿Qué contención era posible? ¿Se trataba de superstición, repugnancia, paciencia, miedo o alguna clase de primitivo honor? No hay miedo que pueda hacer frente al hambre, no hay paciencia que venza ni repugnancia que persista allí donde hay hambre; en cuanto a la superstición, las creencias y lo que podríamos llamar principios, no son más que hojarasca arrastrada por la brisa. ¿Conocéis, acaso, lo diabólico de la inanición persistente, lo exasperante de sus tormentos, sus oscuros pensamientos, su sombría y acechante ferocidad? Pues bien, yo sí. Un hombre precisa de toda su fortaleza interior para resistirse al hambre. Es mucho más fácil enfrentarse a la pérdida, el deshonor y la perdición de la misma alma que a un hambre prolongada como aquella. Es triste, pero cierto. Y, además, aquellos sujetos no tenían razón alguna para mostrar tales escrúpulos. ¡Contención! La misma contención podría haber esperado de una hiena que merodea entre los cadáveres de un campo de batalla. Pero allí estaban los hechos, ante mí, los hechos deslumbrantes, como una onda en un enigma insondable, un misterio que al pensarlo me parecía mayor que la curiosa, inexplicable nota de duelo desesperado en aquel clamor salvaje que había pasado raudo por nuestro lado desde la orilla, tras la ciega blancura de la niebla.

»Dos peregrinos discutían en apresurados susurros acerca de cuál de las orillas procedía... "De la izquierda". "No, no, ¿cómo puedes decir eso? De la derecha, sin duda". "Esto es muy grave —dijo la voz del director a mi espalda—. Sería terrible que le ocurriese algo al señor Kurtz antes de que llegásemos hasta él". Lo miré y no me quedó la menor duda de su sinceridad. Era la clase de hombre que quisiera conservar siempre las apariencias. Eso era lo que le servía de contención. Pero cuando murmuró algo sobre continuar de inmediato, no me tomé ni la molestia de darle una contestación. Yo sabía, y también él, que no era posible. Si soltásemos nuestra sujeción al fondo nos encontraríamos completamente en el aire, en el espacio. No podríamos saber hacia dónde nos dirigíamos, si río arriba, abajo o a través de él, hasta que llegásemos a una orilla u otra y entonces al principio tampoco sabríamos en cuál nos encontrábamos. Por supuesto, no me moví. No estaba de humor para embarrancar. No os podéis imaginar un lugar más mortífero para un naufragio. Aunque no nos ahogásemos al instante, sin duda pereceríamos enseguida de una manera u otra. "Lo autorizo a asumir cualquier clase de riesgo", dijo tras un breve silencio. "Me niego a asumir riesgo alguno", contesté, cortante; precisamente el tipo de respuesta que él esperaba, aunque es posible que el tono lo sorprendiese. "Pues bien, he de plegarme a su juicio, es usted el capitán", dijo con marcada cortesía. Le di la espalda como muestra de mi apreciación y contemplé la niebla. ¿Cuánto podría durar? La perspectiva era desesperante. El acceso a aquel Kurtz que amasaba marfil en aquella condenada espesura estaba sembrado de tantos peligros que semejaba una princesa encantada, dormida en su fabuloso castillo. "¿Cree usted que atacarán?", preguntó el director en tono confidencial.

»Yo no creía que fuesen a atacar por varias razones evidentes. La espesa niebla era una de ellas. Si abandonaban la orilla en sus canoas se perderían en ella, como nos ocurriría a nosotros si cedíamos a la tentación de partir. Por otra parte, también había supuesto que la jungla de ambas riberas sería bastante impenetrable y, no obstante, en ella habitaban ojos, ojos que nos habían visto. La maleza de las márgenes era, desde luego, muy intrincada, pero el sotobosque que había tras ellas era claramente penetrable. No obstante, durante el breve momento en que se había levantado la niebla, no había observado ninguna canoa a la vista en el río, y mucho menos a la altura del vapor. Sin embargo, lo que hacía que la idea del ataque me resultase inconcebible era la naturaleza del ruido, de los gritos que habíamos escuchado: no tenían ese fiero cariz que presagia intenciones hostiles inmediatas. Por muy inesperados, salvajes y violentos que hubieran sido, me habían producido una abrumadora impresión de sufrimiento. Por algún motivo, la visión del vapor había llenado de aflicción a aquellos salvajes. El peligro, si es que existía, le expliqué, provenía de nuestra proximidad a una gran pasión humana desatada. Incluso el duelo más profundo puede acabar descargándose a través de la violencia, aunque por lo general adopta la forma de la apatía...

»¡Ojalá hubierais visto las caras de los peregrinos! No tenían fuerzas para sonreír, ni siquiera para injuriarme, pero estoy convencido de que pensaban que había perdido la razón, por el miedo, quizá. Les di un auténtico discurso. Queridos amigos, no valía la pena preocuparse. ¿Para qué hacer guardia? Bueno, os figuraréis que observaba la niebla buscando la menor señal de que fuese a levantar como un gato observa a un ratón, pero, para cualquier otro fin, nuestros ojos eran tan inútiles como si estuviésemos enterrados bajo una montaña de kilómetros de algodones. Producía la misma sensación, además: asfixiante, cálida, sofocante. Además, aunque todo lo que dije sonara extravagante, era rigurosamente cierto. Aquello a lo que más tarde nos referimos como un ataque fue en realidad un intento de rechazarnos. La acción distó mucho de ser agresiva, no fue siquiera defensiva en el sentido habitual de la palabra: se llevó a cabo bajo la ansiedad de la desesperación y, en esencia, fue pura y simplemente para protegerse.

»Se desarrolló, diría yo, dos horas después de que se levantase la niebla y se inició en un punto situado, aproximadamente, a una milla y media de la estación de Kurtz. Acabábamos de doblar un recodo, tropezando y trastabillando, cuando divisé un islote, un mero montículo cubierto de hierba de un verde vivo, en medio de la corriente. No se vislumbraba otra cosa, pero a medida que nos acercábamos, percibí que se trataba del extremo de un largo escollo, o más bien de una cadena de escollos que se extendían a poca profundidad por el centro del río. Estaban descoloridos, apenas inundados, y todo el conjunto se veía a ras del agua exactamente igual que se percibe la columna vertebral de una persona descendiendo por el centro de su espalda bajo la piel. Sin embargo, por lo que podía ver, era posible pasar a la derecha o a la izquierda de aquello, aunque, por supuesto, yo no conocía ninguno de los dos canales. Ambas orillas resultaban muy semejantes, la profundidad parecía la misma, pero como se me había informado de que la estación se encontraba en la ribera oeste, me incliné por el canal occidental.

»Apenas habíamos comenzado a embocarlo cuando me di cuenta de que era mucho más estrecho de lo que había supuesto. A babor había un largo bajío ininterrumpido y a estribor, el talud de la ribera, cubierto de exuberantes arbustos. Por encima de ellos se alzaban los árboles en apretadas filas. Numerosas ramas colgaban por encima de la corriente, y a cada trecho un gran brazo de algún árbol se proyectaba, rígido, sobre el río. Era ya media tarde, la faz de la selva estaba en penumbra y sobre el agua había caído ya una ancha franja de sombra. Bajo aquella sombra avanzábamos, muy lentamente, ya os imaginaréis. Ceñí el vapor todo lo que pude a la orilla, ya que allí el agua era más profunda, como indicaba la pértiga que usábamos de sonda.

»Uno de mis hambrientos y sufridos amigos iba sondando a proa, justo por debajo de mí. Aquel vapor era exactamente igual que una gabarra con una cubierta en la que había dos casetas de madera de teca, con puertas y ventanas. La caldera se encontraba a proa y la máquina justo a popa. Cubriendo todo el conjunto había un techo ligero, que descansaba sobre unos puntales. La chimenea pasaba a través de aquel techo, y frente a ella se encontraba la pequeña cabina del piloto, construida con planchas finas. Había en su interior un catre, dos banquetas de campaña, un rifle Martini-Henry cargado, apoyado en un rincón, una mesa diminuta y el timón. Tenía una amplia puerta en el frente y un ancho postigo a cada lado. Todos ellos se mantenían abiertos a todas horas, por supuesto. Yo me pasaba los días encaramado apoyado en un extremo de delante de aquel tejado, en la puerta. Por las noches dormía, o al menos lo intentaba, en el catre. El timonel era un negro atlético procedente de alguna tribu de la costa y que había sido instruido por mi pobre predecesor. Lucía un par de pendientes de latón, vestía una tela azul enrollada de la cintura a los tobillos y tenía una elevadísima opinión de sí mismo. Era el imbécil más inestable con que me había topado. Gobernaba con infinita jactancia cuando yo estaba cerca, pero si me perdía de vista, caía presa de un abyecto pavor y era capaz de permitir que aquel lisiado vapor se le fuese de las manos en cuestión de un minuto.

»Estaba observando la sonda, muy contrariado al ver que a cada nuevo intento sobresalía del río un poco más, cuando vi que el encargado abandonaba de pronto su tarea para tumbarse cuan largo era en la cubierta, sin tomarse siquiera la molestia de recoger la pértiga, aunque no la soltó, dejando que se deslizara en el agua. Al mismo tiempo, el fogonero, al que también veía debajo de mí, se sentó bruscamente delante del horno y agachó la cabeza. Yo no daba crédito a mis ojos. Pero enseguida tuve que fijarme en el río, porque había un obstáculo en el canal. Palos, montones de pequeños palos, volaban por todas partes en gran cantidad: pasaban zumbando por delante de mis narices, caían a mis pies, haciendo impacto en la cabina del piloto, a mi espalda. Mientras aquello ocurría, el río, la orilla, la selva, permanecían en silencio, en perfecto silencio. Solo se oía el sordo chapoteo de la rueda de paletas y el golpeteo de aquellas cosas. Sorteamos el obstáculo con torpeza. ¡Flechas, por Júpiter! ¡Nos estaban disparando! Me metí corriendo en la cabina para cerrar el postigo que daba a tierra. Me encontré al estúpido timonel con las manos en el timón, pateando, levantando las rodillas y apretando los dientes como un caballo cuando le tiran de las riendas. ¡Maldito sea! Nos pusimos a dar bandazos a tres metros de la orilla. Tuve que asomarme hacia fuera para cerrar el pesado postigo y entonces vi una cara entre las hojas, a mi altura, mirándome con ojos fijos y fieros, y, de pronto, como si se me hubiera caído un velo de los míos, distinguí bien ocultos entre la enmarañada penumbra pechos desnudos, brazos, piernas, ojos centelleantes: la espesura rebosaba de extremidades humanas que, al moverse, relucían con el color del bronce. Las ramas se agitaron, se cimbrearon y crujieron, salieron flechas volando de entre ellas y, al fin, el postigo se cerró. "¡Endereza el rumbo!", le dije al timonel. Mantuvo rígida la cabeza, mirando al frente, pero se le iban los ojos, continuaba subiendo y bajando los pies suavemente y le salía un poco de espuma por la boca. "¡Mantén la calma!", le ordené, furioso. Lo mismo podía haberle ordenado a un árbol que no se meciese con el viento. Salí de la cabina como el rayo. Debajo de mí se oía un terrible tumulto de pies sobre la cubierta de hierro, exclamaciones confusas; una voz gritó: "¿No puede dar la vuelta?". Atisbé una ondulación del agua en forma de V frente a nosotros. ¿Qué era aquello? ¿Otro tronco? Bajo mis pies estalló una descarga de fusilería. Los peregrinos habían abierto fuego con sus Winchester y escupían plomo hacia la espesura. Se levantó una humareda del demonio, que fue avanzando lentamente. Solté una maldición. Ahora tampoco veía la ondulación ni el tronco. Me quedé parado en el umbral, escudriñando, mientras caía un enjambre de flechas. Quizás estuviesen envenenadas, pero parecían incapaces de matar ni a un gato. La espesura comenzó a aullar. Nuestros leñadores lanzaron un grito de guerra; la descarga de un rifle justo a mi espalda me ensordeció. Volví la vista atrás: el humo y el estruendo aún invadían la cabina del piloto cuando me lancé hacia el timón. Aquel negro insensato lo había dejado todo para abrir el postigo y disparar el Martini-Henry. De pie frente a la amplia ventana, lanzaba miradas de furia y yo le ordené a gritos que regresase, mientras rectificaba el repentino bandazo que había dado el vapor. No había espacio para virar, aunque hubiera querido; el obstáculo estaba muy cerca, en algún punto frente a nosotros en medio de aquella condenada humareda, y no quedaba tiempo que perder, así que ceñí la embarcación a la orilla, a la orilla donde sabía que el agua era profunda.

»Nos abrimos paso lentamente, bajo las ramas colgantes de la espesura en medio de un torbellino de ramas rotas y hojas que revoloteaban. Abajo, el tiroteo había cesado de pronto, como yo había previsto, cuando se acabaron las municiones. Eché la cabeza hacia atrás al notar que un zumbido centelleante atravesaba la cabina, entrando por un postigo abierto y saliendo por el otro. Mirando más allá del enloquecido timonel, que agitaba el rifle vacío y lanzaba alaridos hacia la orilla, vi las vagas figuras de unos hombres que corrían inclinadas sobre sí mismas, saltando, deslizándose, nítidas, incompletas, evanescentes. En el aire apareció algo voluminoso, frente al postigo; el rifle cayó por la borda y el timonel retrocedió apresuradamente, me miró por encima del hombro de un modo extraño, profundo, familiar, y cayó a mis pies. Golpeó el timón dos veces con la sien, y el extremo de lo que parecía una larga caña golpeteó por todas partes, tirando una banqueta plegable. Me dio la impresión de que le había arrebatado aquello a alguien de la orilla, perdiendo el equilibrio en el intento. La tenue humareda se había disipado, habíamos sorteado el obstáculo, y al mirar al frente vi que en unos cien metros más tendría paso libre para alejarme de la orilla; pero tenía los pies tan húmedos y calientes que tuve que bajar la vista. El timonel había rodado sobre su espalda y tenía la vista clavada en mí; ambas manos aferraban aquella caña. Era el asta de una lanza que, arrojada o empujada a través de la abertura, le había acertado en un costado, justo debajo de las costillas; la hoja había penetrado profundamente, haciéndole un tajo terrible. Yo tenía los zapatos empapados y un charco de sangre inmóvil, de un rojo oscuro resplandeciente, bajo el timón. Sus ojos brillaban con un brillo alucinado. Las descargas de los fusiles estallaron de nuevo. Me miró ansioso, aferrándose a la lanza como a un tesoro, con aspecto de temer que intentase arrebatársela. Tuve que hacer un esfuerzo para liberar mis ojos de su mirada y concentrarme en el timón. Con una mano, tanteé sobre mi cabeza, buscando el cable de la sirena de vapor, y tiré de él apresuradamente, arrancándole un bramido tras otro. El tumulto de furiosos gritos de guerra cesó al instante y entonces, desde las profundidades de la selva surgió un quejido trémulo y prolongado, tan lleno de lúgubre temor y absoluta desesperación como pueda imaginarse ante la desaparición de la última esperanza de la Tierra. Se produjo una gran conmoción en la espesura: la lluvia de flechas se detuvo; resonaron, agudos, algunos disparos sueltos; luego, un silencio, en el que el lánguido batir de la rueda de paletas llegaba claramente a mis oídos. Viré todo a estribor en el momento en que el peregrino de los pantalones de color rosa, muy sofocado y nervioso, apareció en el quicio de la puerta. "Me envía el director —comenzó en tono oficial, y se detuvo de pronto—. ¡Dios santo!", dijo, observando al hombre herido.

»Los dos blancos estábamos junto a él, envueltos en su mirada brillante e inquisitiva. Os aseguro que era como si se dispusiese a hacernos unas preguntas en un lenguaje incomprensible en cualquier momento, pero murió sin pronunciar palabra, sin mover un miembro, sin que le temblara un músculo. Solo en el momento postrero, como en respuesta a alguna señal invisible para nosotros, a algún susurro que no lográbamos oír, frunció pesadamente el ceño, y aquel gesto le dio a su negra máscara de muerte una expresión inconcebiblemente sombría, acechante, amenazadora. El brillo de su mirada inquisitiva se desvaneció de inmediato, transformándose en una inexpresiva vidriosidad. "¿Sabe llevar el timón?", le pregunté al agente con impaciencia. No parecía muy decidido, pero le eché la mano al brazo y comprendió de inmediato que quería que lo llevase, supiera o no. A decir verdad, tenía una necesidad morbosa de cambiarme de zapatos y calcetines. "Está muerto", murmuró aquel individuo, enormemente impresionado. "No cabe la menor duda —dije yo, tironeando como loco de los cordones de los zapatos—. Y, por cierto, supongo que a estas alturas también el señor Kurtz estará muerto".

»Aquel era el pensamiento dominante, por el momento. Me invadía un sentimiento de extrema decepción, como si hubiera descubierto que había estado luchando por algo del todo irreal. Mi desazón no hubiera podido ser mayor, aunque hubiese recorrido todo aquel camino con el único propósito de hablar con el señor Kurtz. Hablar con... Arrojé un zapato por la borda y me di cuenta de que era eso exactamente lo que había estado ansiando: una conversación con Kurtz. Hice el extraño descubrimiento de que nunca me lo había imaginado actuando, sino hablando. No me decía a mí mismo: "Ahora ya no podré verlo nunca", ni: "Ahora no podré estrecharle la mano jamás", sino: "Ahora ya no podré escucharlo". Aquel hombre se me presentaba como una voz. Por supuesto, no es que yo no lo asociara con ningún tipo de actividad. ¿Acaso no se me había dicho en todos los tonos de la admiración y la envidia que había recogido, intercambiado, estafado o robado más marfil que todos los demás agentes juntos? Eso no era lo importante. Lo importante era que se trataba de una criatura de grandes talentos, y de todos ellos el que destacaba por encima de los demás, el que le confería una sensación de presencia real, era su elocuencia, sus palabras: el don de la expresión, el asombroso, el revelador, el más exaltado y el más despreciable, el palpitante torrente de luz o el engañoso flujo de un corazón de tinieblas impenetrables.

»El otro zapato salió volando al fondo de aquel demonio de río. Pensé: "¡Por Júpiter! Es el fin. Hemos llegado demasiado tarde, él ha desaparecido: sus talentos han desaparecido por obra de una lanza, una flecha o un garrote. Al final no llegaré a oír hablar a ese hombre". Y mi dolor me producía una extraña y sorprendente sensación, semejante a la que había sentido en el doloroso quejido de aquellos salvajes en la espesura. No hubiera podido sentir mayor desolación ni soledad si me hubieran robado una creencia o hubiera perdido mi destino en la vida... Por qué resopla como un bruto, ¿por qué? ¿Es absurdo? Es absurdo, vale. ¡Cielo santo! ¿Acaso no puede un hombre...? En fin, dadme un poco de tabaco...

Se produjo una pausa de profunda quietud, luego se encendió una cerilla, y el delgado rostro de Marlow resplandeció, cansado, vacío, surcado de arrugas de arriba abajo y con los párpados caídos, con un aire de concentrada atención. Y, mientras daba vigorosas caladas a su pipa, aquel rostro parecía retirarse y entrar en la noche con el rítmico titilar de la diminuta llama. La cerilla se apagó.

—¡Absurdo! —exclamó—. Esto es lo peor de intentar explicarlo... Aquí estáis todos, cada uno con dos buenas amarras, como un buque con dos anclas, un carnicero a la vuelta de la esquina, un policía a la vuelta de la otra, excelente apetito y temperatura normal, ¿entendéis?, normal de principio a fin de año. Y me decís: «¡Absurdo!». ¡Al diablo con lo absurdo! ¡Absurdo! Queridos amigos, ¿qué se puede esperar de un hombre que, de puro nerviosismo, acaba de arrojar por la borda un par de zapatos nuevos? Al pensarlo ahora me maravillo de no haber derramado lágrimas. Estoy, en conjunto, orgulloso de mi fortaleza. Me dolía en lo más hondo la idea de haber perdido el inestimable privilegio de escuchar a Kurtz, con todo su talento. Por supuesto, me equivocaba. Aquel privilegio me estaba aguardando. ¡Oh, sí, lo escuché hasta hartarme! Pero también estaba en lo cierto. Una voz. No era mucho más que una voz. Y le oí..., a él..., aquello..., aquella voz..., otras voces..., todos ellos eran poco más que voces... y el mismo recuerdo de aquella época perdura a mi alrededor, impalpable, como una vibración agonizante de un inmenso galimatías estúpido, atroz, sórdido, salvaje o simplemente mezquino, sin sentido de ninguna clase. Voces, voces..., incluso la de la propia joven..., ahora.

Permaneció un largo rato en silencio.

—Al final conjuré el fantasma de sus talentos con una mentira —prosiguió de pronto—. ¡La joven! ¿Cómo? ¿He mencionado una joven? ¡Oh! Ella no tiene nada que ver con esto, nada en absoluto. Ellas, las mujeres, permanecen al margen de esto, deben permanecer al margen. Es nuestro deber ayudarlas a permanecer en ese hermoso mundo suyo, no sea que el nuestro empeore. ¡Oh, sí, era necesario que permaneciera al margen! Tendríais que haber oído al cadáver desenterrado que era Kurtz decir: «Mi prometida». Entonces os habríais dado perfecta cuenta de hasta qué punto estaba ella al margen. ¡Y aquel prolongado hueso frontal del señor Kurtz! Dicen que en ocasiones el pelo continúa creciendo, pero la calvicie de aquel espécimen era impresionante. La naturaleza salvaje le había tocado la cabeza y lo había dejado como una bola, una bola de marfil; lo había acariciado y se había marchitado: lo había arrebatado, amado, abrazado, había penetrado en sus venas, había consumido su carne y unido su alma a la de ella mediante inconcebibles ceremonias de algún rito de diabólica iniciación. Era su consentido y mimado favorito. ¿Marfil? Ya lo creo. Montones, pilas de marfil. Llenaban a reventar la vieja cabaña de barro. Uno pensaría que no quedaba ni un solo colmillo bajo tierra o sobre ella en todo el país. «Fosilizado, en su mayoría», había hecho notar el director, con desprecio. Estaba tan fosilizado como yo, pero lo llaman fósil cuando se ha desenterrado. Parece que aquellos negros entierran a veces los colmillos, pero es evidente que aquella partida no la pudieron enterrar a suficiente profundidad para salvar al clarividente señor Kurtz de su destino. Cargamos con el marfil todo el vapor y aún tuve que apilar gran parte en la cubierta. De este modo pudo contemplarlo y disfrutar de él mientras le quedó vista, porque conservó esa predilección por el marfil hasta el mismo final. Deberíais haberle oído decir: «Mi marfil». Sí, vaya si lo oí. «Mi prometida, mi marfil, mi estación, mi río...», todo le pertenecía. Eso me hizo contener el aliento, esperando oír a la naturaleza estallar en una prodigiosa carcajada que hiciese temblar las estrellas en el cielo. Todo le pertenecía, pero eso era trivial. Lo importante era conocer a qué pertenecía él, cuántas fuerzas de las tinieblas lo reclamaban como suyo. Aquella era la reflexión que te hacía estremecerte de pies a cabeza. Resultaba imposible, ni le hacía a uno ningún bien, intentar imaginárselo. Se había colocado en un alto sitial entre los demonios de la tierra, y lo digo literalmente. Es imposible que lo comprendáis. ¿Cómo podríais entenderlo, con el sólido pavimento bajo los pies, rodeados de amables vecinos dispuestos a animaros o criticaros, caminando con delicadeza entre el carnicero y el policía, bajo el sagrado terror al escándalo, la horca y el manicomio? ¿Cómo podríais imaginar hasta qué precisa región de los primeros tiempos de la humanidad pueden llevarle unos pies sin trabas a un hombre por la senda de la soledad (la soledad completa, sin un solo policía), por la senda del silencio (el completo silencio, donde no se oye la amable voz de ningún vecino, susurrando habladurías)? Esas son las pequeñas cosas que lo cambian todo. Cuando ellas nos faltan no nos queda sino recurrir a nuestra propia fuerza innata, a la propia capacidad para la lealtad. Por supuesto, uno puede ser demasiado necio para equivocarse, demasiado obtuso para darse siquiera cuenta de que le asaltan las fuerzas de las tinieblas. Estoy seguro de que ningún necio ha hecho jamás un trato por su alma con el diablo: el necio es demasiado necio o el diablo demasiado diablo. No sé. O es posible ser una criatura tan elevada que se pueda permanecer sordo y ciego a todo lo que no sean sonidos y visiones celestiales. Entonces la tierra no es más que una sala de espera, y no seré yo quien pretenda determinar si ser así es una ventaja o un inconveniente. Pero la mayoría no somos ni una cosa ni la otra. La tierra es para nosotros un lugar donde vivir, donde tenemos que enfrentarnos a visiones, sonidos y también olores, ¡oh, por Júpiter!, ¿cómo oler, por ejemplo, un hipopótamo putrefacto y no contaminarse? Es ahí, ¿no lo entendéis?, donde entra en juego nuestra fortaleza: la fe en nuestra capacidad de cavar discretos agujeros donde enterrar las cosas; el poder de la devoción, no a uno mismo, sino a una empresa oscura y agotadora. Y eso ya encierra suficiente dificultad. Creedme, no trato de excusarme, ni de abundar en explicaciones: trato solo de comprender a..., al señor Kurtz..., a la sombra del señor Kurtz. Aquel iniciado espectro llegado del fondo de la Nada me honró con sus asombrosas confidencias antes de desvanecerse para siempre. Esto ocurrió porque conmigo podía hablar inglés. El Kurtz original había recibido parte de su educación en Inglaterra y, como él mismo tuvo la bondad de afirmar, sus simpatías se inclinaban hacia el lado adecuado. Su madre era medio inglesa, su padre medio francés. Toda Europa había contribuido a la creación de Kurtz, y más tarde me enteré de que la Sociedad Internacional para la Supresión de las Costumbres Salvajes le había confiado, muy apropiadamente, la preparación de un informe que les sirviera de guía en el futuro. Incluso lo había escrito. Yo lo he visto. Lo he leído. Era elocuente, vibraba de elocuencia, pero resultaba demasiado intenso, a mi parecer. ¡Había encontrado tiempo para llenar diecisiete páginas de escritura apretada! Pero aquello debió de ser antes de que sus nervios, digamos, le fallaran y lo llevasen a presidir ciertas danzas a medianoche que terminaban en ritos inenarrables, que, por lo que pude deducir de lo que a mi pesar escuché en varias ocasiones, se celebraban en su honor. ¿Entendéis? Se los ofrecían al propio Kurtz. Pero aquel informe era una hermosa pieza literaria. Sin embargo, el párrafo inicial me resulta ahora, a la luz de posteriores informaciones, ominoso. Comenzaba con el argumento de que los blancos, desde el nivel de desarrollo que hemos alcanzado, «debemos por fuerza parecerles [a los salvajes] seres de naturaleza sobrenatural: nos acercamos a ellos con el poder de una deidad», y así sucesivamente. «Por el simple ejercicio de nuestra voluntad podemos desplegar un poder para el bien prácticamente ilimitado», etcétera, etcétera. A partir de ese punto se elevaba y me llevó con él. La peroración era magnífica, aunque difícil de recordar, ya sabéis.

Me transmitió la sensación de una exótica Inmensidad gobernada por una augusta Benevolencia. Me hizo vibrar de entusiasmo. Me hallaba ante el poder de la elocuencia, de las palabras, de palabras nobles y ardientes. Ninguna nota práctica interrumpía el flujo mágico de las frases, salvo una especie de nota al pie de la última página, claramente garabateada mucho más tarde por una mano temblorosa, que podría considerarse la exposición de un método. Era muy sencilla, y al final de tan conmovedora apelación a todos los sentimientos altruistas, resultaba cegadora, luminosa y terrorífica como el resplandor de un relámpago en el cielo sereno: «¡Exterminad a todos los salvajes!». Lo más curioso de todo era que parecía haberse olvidado por completo de tan valiosa posdata, porque más adelante, cuando en cierto sentido volvió a su ser, me rogó repetidamente que tuviese buen cuidado de «mi panfleto», como él lo llamaba, como si fuese a tener una influencia beneficiosa en su futura carrera. Recibí exhaustiva información sobre todo aquello y, además, resultó que yo tuve que asumir la tarea de velar por su memoria. He hecho por ella lo suficiente para ganarme el derecho incontestable de dejarla, si así lo decidiera, descansar para siempre en el cubo de la basura del progreso, entre todos los desperdicios, y, figurativamente hablando, entre todos los cadáveres de la civilización. Pero veréis, no tengo elección. No caerá en el olvido. Fuese lo que fuese, no era vulgar. Tenía el poder de fascinar o atemorizar a las almas más sencillas hasta el punto de ejecutar frenéticas danzas de brujería en su honor; también era capaz de llenar las almas de los peregrinos de amargos recelos: tenía al menos un fiel amigo y había conquistado un alma en el mundo que ni era rudimentaria ni estaba corrompida por el egoísmo. No, no lo puedo olvidar, aunque no estoy dispuesto a afirmar exactamente que aquel hombre valiese la vida que perdimos tratando de llegar hasta él. Echaba terriblemente de menos a mi difunto timonel; ya lo echaba de menos incluso mientras su cuerpo seguía aún tendido en la cabina del piloto. Quizás os resulte muy extraño este remordimiento por un salvaje que no tenía más valor que un grano de arena en un Sáhara negro. Pues bien, ¿no os dais cuenta?, él había sido de utilidad, había llevado el timón; durante meses lo había tenido a mi espalda, una ayuda, un instrumento. Se trataba de una especie de sociedad. Él llevaba el rumbo por mí, yo tenía que cuidar de él, preocuparme por sus deficiencias, y de ese modo se había creado un vínculo sutil del que no tomé conciencia hasta que se rompió súbitamente. Y la íntima profundidad de aquella mirada que me lanzó cuando lo hirieron permanece aún hoy en mi memoria, como la llamada de un parentesco lejano afirmado en un momento supremo.

»¡Pobre insensato! Si hubiera dejado en paz aquel postigo... No tenía dominio alguno, ningún dominio..., igual que Kurtz: un árbol mecido por el viento. En cuanto me puse un par de zapatillas secas, lo arrastré al exterior; el costado quedó libre de la lanza al primer tirón, operación que realicé, lo confieso, con los ojos bien apretados. Sus talones saltaron a la vez el pequeño escalón, sus hombros presionaban contra mi pecho, al abrazarlo desde atrás con desesperación. ¡Cómo pesaba! Pesaba mucho, más que ningún otro hombre de la tierra, me atrevería a decir. Y entonces, sin más preámbulos, le dejé caer por la borda. La corriente se lo llevó como si fuese una brizna de hierba, y pude ver el cadáver girar dos veces sobre sí mismo antes de perderlo de vista para siempre. Todos los peregrinos y el director se hallaban en aquel momento congregados bajo el tejadillo, alrededor de la cabina del piloto, parloteando unos con otros como una bandada de urracas, y mi despiadada diligencia produjo un murmullo escandalizado. Por qué querían conservar aquel cadáver rondando por allí, no puedo imaginarlo. Para embalsamarlo, quizá. Pero también había oído otro murmullo, muy siniestro, en la cubierta inferior. Mis amigos, los leñadores, estaban también indignados y por mejor motivo, aunque debo admitir que el motivo era bastante inadmisible. ¡Vaya si lo era! Yo había tomado la determinación de que si mi difunto timonel había de servir de alimento sería solo para los peces. Había sido en vida un mal timonel, pero ahora que había muerto se había convertido en una tentación de primera y, probablemente, la causa de problemas alarmantes. Por otra parte, me urgía hacerme cargo del timón, ya que el hombre del pantalón de color rosa estaba demostrando ser un irremediable inepto en la materia.

»Eso fue lo que hice en cuanto terminó el sencillo funeral. Íbamos a media máquina, manteniéndonos justo en el centro de la corriente y yo escuchaba lo que se hablaba a mi alrededor. Daban a Kurtz por perdido, daban por perdida la estación: Kurtz estaba muerto y la estación, incendiada, y así sin parar. El peregrino pelirrojo no cabía en sí con la idea de que al menos el pobre Kurtz había recibido justa venganza. “¡Decidme! Seguro que hemos hecho una gloriosa carnicería en la maleza, ¿eh? ¿Qué creéis? Decidme.” Bailaba y todo, aquel patán canijo, pelirrojo y sediento de sangre. ¡Y casi se había desmayado cuando vio al herido! No pude evitar decir: “Han levantado ustedes una gloriosa humareda, desde luego”. Había visto, por cómo crujían y se agitaban las copas de los árboles, que casi todos los tiros habían ido demasiado altos. No es posible hacer blanco a menos que se apunte y se dispare con el arma al hombro, pero aquellos tipos disparaban con ella a la cadera y con los ojos cerrados. La retirada, mantenía yo (y con razón), se debió a los bramidos de la sirena del vapor. Al oír esto se olvidaron de Kurtz y empezaron a vociferar indignadas protestas dirigidas hacia mí.

»El director se encontraba junto a la rueda del timón, murmurando con aire confidencial sobre la necesidad de alejarse lo máximo posible río abajo a cualquier precio antes de que anocheciese, cuando vi en la distancia un claro en la ribera del río y el perfil de una edificación. "¿Qué es eso?", pregunté. Dio unas palmadas de pura emoción. "¡La estación!", gritó. Me orillé de inmediato, todavía a media máquina.

»Por los binoculares vi la falda de una colina salpicada de exóticos árboles y completamente limpia de maleza. En la cima, un largo y deteriorado edificio medio enterrado entre la hierba alta: desde lejos se veían grandes agujeros negros, abiertos en el tejado puntiagudo, con la jungla y el bosque de fondo. No había cercado ni empalizada de ninguna clase, pero sí había habido una, a juzgar por la media docena de delgados postes que quedaban junto a la casa, formando una línea, toscamente tallados y ornamentados en la parte superior con bolas talladas. La barandilla, o lo que hubiera habido entre los postes, había desaparecido. Por supuesto, todo estaba rodeado por la selva. La orilla estaba despejada, y junto al agua vi a un hombre blanco bajo un sombrero del tamaño de una rueda de carro, haciéndonos insistentes señas con el brazo. Examinando la linde del bosque quedé casi convencido de que había movimiento: formas humanas que se deslizaban aquí y allá. Avancé con prudencia y luego detuve la máquina y dejé que la embarcación llegase hasta la orilla con su propio impulso. El hombre de la ribera comenzó a gritar, apremiándonos para que desembarcásemos. "Nos han atacado", gritó el director. "Lo sé, lo sé. No pasa nada —gritó también el otro, tan contento como si tal cosa—. Vengan conmigo. No pasa nada. Estoy encantado".

»Su apariencia me recordó a algo que ya había visto, algo cómico que había visto en alguna parte. Mientras realizaba la maniobra para poner el barco de costado, me preguntaba a mí mismo: "¿A qué se parece este tipo?". De pronto me di cuenta: parecía un arlequín. Su ropa estaba hecha de algún tejido que probablemente había sido una holanda marrón, pero estaba cubierto de remiendos por todas partes, con llamativos remiendos azules, rojos y amarillos, por detrás, remiendos por delante, remiendos en los codos, en las rodillas, un ribete de colores alrededor de la chaqueta, un vivo escarlata en el bajo de los pantalones, y la luz del sol le daba un aspecto de lo más alegre y maravillosamente aseado, además, porque se veía cuánto esmero había puesto en todos aquellos remiendos. La suya era una cara lampiña, infantil, muy agradable, sin rasgos destacados, la nariz pelada, unos pequeños ojos azules; las sonrisas y los ceños fruncidos parecían perseguirse en aquel semblante ingenuo, como el sol y la sombra por una llanura azotada por el viento. "¡Cuidado, capitán! —gritó—. Hay un tronco incrustado ahí desde anoche". ¿Cómo, otro obstáculo? Confieso que renegué sin decoro alguno. A punto había estado de agujerear mi cafetera para rematar aquel fascinante viaje. El arlequín de la orilla volvió hacia mí su respingona nariz. "¿Es usted inglés?", me preguntó, todo sonrisas. "¿Y usted?", le grité desde el timón. Las sonrisas se desvanecieron y meneó la cabeza, como si lamentara mi decepción, pero de pronto se le iluminó de nuevo el rostro. "¡No importa!", gritó con ánimo. "¿Llegamos a tiempo?", le pregunté. "Está allí arriba", replicó, señalando con la cabeza hacia la cima de la colina, adoptando, de pronto, un aire sombrío. Su cara era como el cielo de otoño, encapotado un momento y despejado al siguiente.

»Cuando el director, escoltado por los peregrinos, todos ellos armados hasta los dientes, se hubo marchado hacia la casa, subió a bordo aquel sujeto. "Le digo que esto no me gusta. Esos nativos se esconden en la espesura", le dije. Él me aseguró con sinceridad que no había de qué preocuparse. "Son gentes sencillas— añadió—. Pero, bueno, me alegro mucho de que hayan venido. Mantenerlos a raya me ocupaba todo el tiempo". "¡Pero ha dicho usted que no había de qué preocuparse!", exclamé. "¡Oh! No pretenden hacer ningún daño —me dijo, y al ver que lo miraba, atónito, se corrigió—: Al menos no exactamente". Volvió a mostrarse vivaz. "¡A fe mía que su cabina está pidiendo una limpieza!" Acto seguido me recomendó que mantuviese suficiente vapor en la caldera para hacer sonar la sirena en caso de problemas. "Un buen golpe de sirena le resultará de más ayuda que todos sus rifles. Son gentes sencillas", repitió. Parloteaba a tal velocidad que casi me abrumaba. Daba la impresión de que intentaba compensar muchos silencios, y, de hecho, me dio a entender, riendo, que así era. "¿No habla usted con Kurtz?", le dije. "Con ese hombre no se habla, se le escucha —exclamó con tono solemne—. Pero ahora..." Hizo un gesto con la mano y en un abrir y cerrar de ojos se había sumido en los más profundos abismos del abatimiento. Resurgió al momento, de un salto, se apoderó de mis dos manos y las sacudió continuamente mientras decía atropelladamente: "Hermano marino..., honor..., placer..., satisfacción..., presentarme... ruso... hijo de un arcipreste... Gobierno de Tambov... ¿Qué? ¡Tabaco! ¡Tabaco inglés, el excelente tabaco inglés! Eso sí que es fraternidad. ¿Fumar? ¿Dónde se ha visto un marino que no fume?".

»La pipa lo serenó y poco a poco fui sabiendo que se había escapado del colegio y se había hecho a la mar en un barco ruso, que volvió a escaparse, que sirvió en barcos ingleses durante un tiempo, y que ahora se había reconciliado con el arcipreste. Quiso dejarlo muy claro. "Pero cuando uno es joven necesita ver cosas, adquirir experiencias, ideas: abrir la mente." "¡Aquí!", lo interrumpí. "¡Nunca se sabe! Aquí he conocido al señor Kurtz", dijo con juvenil solemnidad y cierto reproche. A partir de aquel momento me mordí la lengua. Parece ser que había persuadido a una casa de comercio holandesa de la costa para que le proporcionase provisiones y mercancías, y había partido hacia el interior con el corazón alegre y sin más idea de lo que iba a ser de él que un recién nacido. Había estado deambulando por el río en soledad durante dos años, apartado de todo y de todos. "No soy tan joven como parezco, tengo veinticinco años —dijo—. Al principio el viejo Van

Shuyten me dijo que me fuera al infierno —relataba con franco placer—, pero me pegué a él, y hablé y hablé hasta que al final le entró miedo de que su perro favorito se muriera de tanto escucharme, así que me dio algunas baratijas y algunas armas, y me dijo que esperaba no volver a verme la cara jamás. ¡Ah, el bueno de Van Shuyten, el viejo holandés! Le envié un pequeño lote de marfil el año pasado para que no pueda llamarme ladronzuelo cuando regrese. Espero que lo haya recibido. Por lo demás, no me preocupo. Les dejé una pila de leña en mi antigua casa. ¿La vieron?" Le di el libro de Towson. Hizo como si fuese a besarme, pero se contuvo. "Era el único libro que me quedaba y creía que lo había perdido —dijo, mirándolo extasiado—. A un hombre que anda por ahí solo le ocurren muchos accidentes, ¿sabe? A veces se vuelcan las canoas, a veces hay que escapar a toda prisa cuando la gente se enfurece", dijo hojeando el libro. "¿Las anotaciones están en ruso?", le pregunté. Asintió. "Creía que estaban en un lenguaje cifrado", le dije. Se rio y enseguida se puso serio. "Me costaba mucho esfuerzo mantener a esa gente a raya", dijo. "¿Querían matarlo?", le pregunté. "¡Oh, no!", exclamó, y no dijo más. "¿Por qué nos atacaron?", insistí. Él dudó, pero luego dijo, con vergüenza: "No quieren que se vaya". "¿No quieren?", dije con curiosidad. Asintió lleno de misterio y sabiduría. "Le aseguro — exclamó— que este hombre me ha abierto la mente". Abrió los brazos de par en par, mirándome fijamente con sus ojillos azules, de una perfecta redondez.

CAPÍTULO III

Lo miré, sumido en el asombro. Allí estaba, ante mí, con su colorido atuendo, como si acabase de fugarse de una compañía de mimos, entusiasta, fabuloso. Su existencia misma era improbable, inexplicable y del todo desconcertante. Era un problema irresoluble. Era inconcebible cómo había subsistido, cómo había logrado llegar tan lejos, cómo se las había ingeniado para persistir, por qué no había desaparecido al instante. "Fui un poco más allá —dijo—, luego otro poco más allá..., hasta que llegué tan lejos que ya no sé cómo voy a regresar. Pero no importa, hay tiempo de sobra, me las ingeniaré. Llévense a Kurtz enseguida. Enseguida, lo digo en serio". El encanto de la juventud envolvía sus harapos multicolores, su miseria, su soledad, la esencial desolación de su inútil vagar. Durante meses, durante años, su vida no había valido lo que la compra de un día y, sin embargo, allí estaba, valiente, despreocupadamente vivo, aparentemente indestructible en virtud únicamente de sus pocos años y su irreflexiva audacia. Todo esto me sedujo hasta llegar a sentir algo parecido a la admiración, a la envidia. Su encanto lo impulsaba, su encanto lo mantenía ileso. Sin duda no esperaba de la salvaje naturaleza otra cosa que espacio para respirar y para continuar su camino. Su necesidad era existir, y avanzar hacia el mayor riesgo posible, y con las mayores privaciones. Si alguna vez un ser humano estuvo dominado por el espíritu de la aventura absolutamente puro, despreocupado e idealista, fue aquel remendado joven. Casi llegué a envidiarle por poseer esa llama, modesta pero clara. Parecía haber consumido hasta tal punto cualquier pensamiento egoísta que incluso cuando te hablaba se te olvidaba que era él, el hombre que tenías ante los ojos, quien había pasado por todo aquello. Sin embargo, no envidiaba su devoción por Kurtz. No había sido meditada: le llegó y él la aceptó con una especie de entusiasta fatalismo. He de decir que me pareció lo más peligroso con que se había topado hasta entonces, en todos los sentidos.

»Fue inevitable que se encontraran, como dos barcos anclados uno junto al otro, que al fin terminan por rozarse los costados. Supongo que Kurtz deseaba tener público, porque en cierta ocasión, estando acampados en la selva, habían charlado toda la noche o, con más probabilidad, había hablado Kurtz. "Hablamos de todo —dijo, arrebatado por el recuerdo—. Llegó a olvidárseme que existía el sueño, y la noche pareció durar menos de una hora. ¡Hablamos de todo! ¡De todo!... Incluso de amor". "¡Ah, le habló a usted de amor!", dije, bastante divertido. "¡No es lo que usted piensa! —exclamó, casi con pasión—. Hablamos en general. Me hizo ver cosas..., cosas".

»Echó los brazos al aire. En ese momento nos encontrábamos en cubierta, y el capataz de mis leñadores, que se hallaba tendido por allí cerca, volvió hacia él sus ojos, pesados y centelleantes. Miré a nuestro alrededor y, no sé por qué, pero os aseguro que nunca hasta entonces, jamás, me habían parecido aquella tierra, aquel río, aquella jungla, la misma bóveda de aquel cielo deslumbrante, tan desesperados ni tan oscuros, tan impenetrables al pensamiento humano, tan inmisericordes con la debilidad humana. "Y desde entonces ha estado usted siempre con él, claro está", dije.

»Al contrario, parece ser que su relación se había roto en varias ocasiones por causas diversas. Según me informó con orgullo, se las había apañado para ayudar a sanar a Kurtz en dos ocasiones en que había estado enfermo (mencionó el tema como si se tratase de una arriesgada proeza), pero por lo general Kurtz deambulaba solo, adentrándose en las profundidades de la foresta. "En muchas ocasiones, al llegar a esta estación, he tenido que esperar días y días hasta que apareciese, —me dijo—. Pero valía la pena esperar..., a veces". "¿Qué estaba haciendo?, ¿explorar?", le pregunté. "Sí, por supuesto"; había descubierto numerosas aldeas e incluso un lago, aunque no sabía en qué dirección exactamente; era peligroso hacer demasiadas preguntas, pero casi todas sus expediciones habían sido en busca de marfil. "Pero por aquel entonces no tenía mercancías con que comerciar", objeté. "Todavía quedan muchos cartuchos, incluso ahora", respondió, apartando la vista. "Hablando claramente, saqueó la región", dije yo. Él asintió. "¡No iba solo, sin duda!" Masculló algo sobre las aldeas que rodeaban aquel lago. "Kurtz consiguió que lo siguiera una tribu, ¿no es así?", sugerí. Se agitó un poco. "Lo adoraban", dijo, y el tono de aquellas palabras fue tan extraordinario que lo miré de un modo inquisitivo. Resultaba curioso ver la mezcla de entusiasmo y renuencia con que hablaba de Kurtz. Aquel hombre colmaba su vida, le ocupaba el pensamiento, movía sus emociones. "¿Qué se podía esperar? —estalló—. Llegó hasta ellos con el trueno y el rayo, ¿entiende?, y ellos no habían visto nunca nada semejante, ni tan terrible. El señor Kurtz puede llegar a ser terrible de verdad, pero no puede usted juzgarlo como a los hombres comunes. ¡No, no, no! Fíjese, solo para que se haga una idea, no me importa contarle que un día también quiso dispararme a mí; pero yo no lo juzgo". "¡Dispararle a usted! —grité—. ¿Con qué motivo?" "Bueno, yo tenía un lote pequeño de marfil que me había dado el jefe de la aldea que hay cerca de mi casa, porque a veces cazaba con mi rifle piezas para ellos, ¿sabe usted? Pues bien, él lo quería y no atendía a razones. Aseguró que me pegaría un tiro a menos que le entregase el marfil y me marchase de la región, porque era muy capaz de hacerlo y le apetecía, y que no había en la tierra nada que pudiera impedirle que matase a quien más le viniese en gana. Y la verdad es que era cierto. Le di el marfil. ¿Qué más me daba a mí? Pero no me marché. No, no. No podía abandonarlo, aunque, por supuesto, tuve que andarme con cuidado hasta que volvió a mostrarse amigable durante un tiempo. Fue por aquel entonces cuando sufrió su segunda enfermedad. Después tuve que quitarme del medio, pero tampoco me importó porque la mayor parte del tiempo vivía en aquellas aldeas del lago. Cuando volvía a bajar al río, me llevaba con él en ocasiones, y en otras era mejor que me anduviese con cuidado. Este hombre ha sufrido mucho.

Odiaba esto, pero no podía escapar de aquí. Cuando tuve la oportunidad le supliqué que intentase marcharse mientras quedase tiempo; le ofrecí volver con él. Y él decía que sí, pero al final acababa quedándose, para emprender otra importante expedición en busca de marfil; desaparecía durante semanas, se olvidaba de sí mismo entre aquellas gentes. Se olvidaba de sí mismo, ¿comprende?" "¡Cielo santo, ese hombre está loco!", le dije. Él protestó, indignado. El señor Kurtz no podía estar loco. Si lo hubiera oído hablar, tan solo dos días atrás, no me atrevería a sugerir semejante cosa... Yo había cogido mis binoculares mientras hablábamos y miraba hacia la orilla, recorriendo las lindes de la selva de lado a lado y vuelta hacia la casa. La certeza de que en aquella espesura había gente, tan silenciosa, tan quieta (tan silenciosa y quieta como la arruinada casa de la colina), me llenaba de inquietud. No había en la faz de la naturaleza señal alguna de aquel extraordinario relato que más que contado me era sugerido en desoladas exclamaciones, acompañadas de hombros encogidos, frases interrumpidas, insinuaciones rematadas por profundos suspiros. La selva permanecía impávida, como una máscara, pesada como las puertas cerradas de una prisión, y me miraba con su aire de saber oculto, de paciente expectación, de inaccesible silencio. El ruso me estaba explicando que, recientemente, Kurtz había descendido hasta el río, trayendo consigo a todos los guerreros de aquella tribu del lago. Llevaba varios meses ausente (haciéndose adorar, supongo), y había bajado sin previo aviso, con la intención, a todas luces, de hacer una batida al otro lado del río o corriente abajo. Resultaba evidente que el ansia de marfil había desplazado a las (¿cómo llamarlas?) aspiraciones menos materiales. Sin embargo, había empeorado mucho de repente. "Me dijeron que estaba postrado e indefenso, así que subí hasta allí. Aproveché la oportunidad —dijo el ruso—. ¡Estaba mal, muy mal!" Dirigí los binoculares hacia la casa. No se veían signos de vida, pero allí estaba el derruido tejado, el largo muro de barro asomando entre la hierba, con tres ventanitas cuadradas de tamaño desigual; todo ello al alcance de mi mano, por así decirlo. Entonces hice un movimiento brusco y uno de los postes de la desaparecida empalizada apareció en el campo de visión de mis binoculares. Recordaréis que os había dicho que, en la distancia, me habían sorprendido ciertos intentos de ornamentación, que resultaban bastante llamativos en contraste con el ruinoso aspecto de todo aquello. Entonces tuve de pronto una perspectiva más próxima, y su primer resultado fue que reaccioné echando hacia atrás la cabeza como si me hubieran lanzado un puñetazo. A continuación, fui pasando lentamente con los binoculares de un poste a otro y contemplé mi error. Aquellos remates no eran ornamentales, sino simbólicos: eran expresivos y desconcertantes, impactantes y perturbadores; alimento para la mente y para los buitres, de haber habido alguno observando desde las alturas; y, en todo caso, para cualquier hormiga lo bastante industriosa para trepar por el poste. Las cabezas clavadas en aquellas estacas habrían resultado más impresionantes si no hubieran tenido el rostro vuelto hacia la casa. Solo una de ellas, la primera con que me topé, miraba hacia mí. No fue tan grande mi estupor como podríais imaginar. El respingo hacia atrás que había dado no fue, en realidad, otra cosa que un movimiento de sorpresa, porque lo que esperaba ver allí era un remate de madera, entendedlo. Regresé expresamente a la primera que había visto y allí estaba: negra, seca, hundida, con los párpados cerrados; una cabeza que parecía dormir sobre aquel poste y también, con los labios secos y encogidos mostrando una fina línea de blancos dientes, sonreír; sonreír sin cesar por algún sueño jocoso e interminable del reposo eterno.

»No estoy desvelando ningún secreto comercial. De hecho, el director me dijo más tarde que los métodos de Kurtz habían malogrado el comercio de la región. No tengo opinión sobre ese asunto, pero quiero que comprendáis con claridad que el que aquellas cabezas estuvieran allí no reportaba precisamente provecho alguno. Solo servían para demostrar que Kurtz carecía de toda contención en la satisfacción de sus diversos apetitos, que carecía de algo, algo insignificante que no podía hallarse bajo su magnífica elocuencia cuando surgía en él una necesidad acuciante. Si él mismo conocía esta carencia o no, lo ignoro. Creo que solo fue consciente al final, en sus últimos momentos. Pero la naturaleza salvaje había salido muy pronto a su encuentro, y se había cobrado en él una terrible venganza por aquella fantástica invasión. Creo que le había susurrado cosas sobre él que él mismo desconocía, cosas de las que no había sido consciente hasta que se dejó aconsejar por aquella inmensa soledad..., y la fascinación de aquel susurro había resultado irresistible. Resonaba, atronador, en su interior porque tenía huecas las entrañas. Bajé los binoculares y tuve la impresión de que la cabeza, que parecía estar suficientemente cerca para hablarme, se había alejado de mí, poniéndose a una distancia inaccesible de un salto.

»El admirador de Kurtz estaba un poco alicaído. Con voz apresurada y confusa comenzó a asegurarme que no se había atrevido a retirar aquellos, digamos, símbolos.

No les temía a los nativos: no se moverían hasta que Kurtz les diese la orden; su influencia era extraordinaria. La estación estaba rodeada por los campamentos de aquellas gentes, y los jefes venían todos los días a visitarle. Se arrastraban... "No quiero saber nada de las ceremonias que hay que seguir para acercarse a Kurtz", grité. Es curioso, la sensación que me invadió de que aquellos detalles me iban a resultar más intolerables que las cabezas clavadas en estacas secándose bajo la ventana de Kurtz. Al fin y al cabo, aquello no era sino una visión salvaje, mientras que yo parecía haber sido transportado de un salto a alguna región tenebrosa de sutiles horrores, donde el puro y simple salvajismo se convertía en un alivio cierto, porque era algo que tenía derecho a existir, obviamente, bajo la luz del sol. El joven me miró con sorpresa. Supongo que no se le había pasado por la imaginación que Kurtz no fuese mi ídolo. Se le había olvidado que yo no había escuchado ninguno de aquellos espléndidos monólogos sobre..., ¿qué era?, el amor, la justicia, la conducta o cualquier otro tema. Si se había llegado al punto en que había que arrastrarse ante Kurtz, entonces él se había arrastrado tanto como el más salvaje de todos ellos. Me dijo que yo no conocía las circunstancias: aquellas cabezas eran de rebeldes. Lo sorprendí sobremanera al echarme a reír. ¡Rebeldes! ¿Cuál sería la próxima definición que tendría que escuchar? Los habían llamado enemigos, criminales, trabajadores..., y estos eran rebeldes. Aquellas cabezas rebeldes se me antojaban muy subyugadas en sus picas. "Usted no sabe hasta qué punto llega a poner a prueba a un hombre como Kurtz una vida así", exclamó el último discípulo de Kurtz. "Pues bien, ¿lo sabe usted?", le dije. "¿Yo? ¡Yo! Yo soy un hombre sencillo, yo no tengo grandes pensamientos; no deseo nada de nadie. ¿Cómo puede compararme con...?" Sus sentimientos eran demasiado intensos para expresarlos y, de pronto, se vino abajo. "No lo comprende —farfulló—. He estado haciendo cuanto he podido para mantenerlo con vida, y eso ya es bastante. No he tenido nada que ver en todo esto. No tengo talento. Aquí hace meses que no se ha visto ni una gota de medicina ni un bocado de comida para enfermos. Lo han abandonado vergonzosamente, a un hombre como él, con sus ideas. ¡Vergonzoso! ¡Vergonzoso! No..., no... he dormido en diez noches..."

»Su voz se perdió en la calma de la tarde. Las largas sombras de la selva se habían deslizado colina abajo mientras hablábamos, dejando muy atrás la ruinosa choza, más allá de la simbólica fila de estacas. Todo aquello se hallaba entre penumbras, mientras que allí abajo permanecíamos todavía bajo el sol, y la franja de río que quedaba a la altura del claro centelleaba con un tranquilo y deslumbrante esplendor tranquilo entre dos recodos lóbregos y sombríos, uno río arriba y otro río abajo. No se veía un alma viviente en la orilla. Ni siquiera crujían los arbustos.

»De pronto, apareció un grupo de hombres por detrás de una esquina de la casa, como si hubieran surgido de la tierra. Avanzaban con la hierba hasta la cintura, formando un grupo compacto, cargando con una improvisada camilla entre ellos. Al instante, en aquel desolado paisaje, se alzó un grito que perforó la quietud del aire con su estridencia, como una flecha afilada que se clavase directamente en el mismo corazón de la tierra; y, como por encanto, un torrente de seres humanos (de seres humanos desnudos) con lanzas en las manos, con arcos, con escudos, con fieras miradas y salvajes movimientos, se derramó por el claro, como vertido por la meditabunda y oscura selva... Los arbustos se agitaron, la hierba se inclinó por un momento y luego todo se detuvo, en atenta inmovilidad.

»"Si ahora no les dice las palabras adecuadas estamos todos perdidos", dijo el ruso, junto a mí. El apretado grupo que llevaba la camilla también se detuvo, a medio camino del vapor, petrificado. Vi que el flaco hombre de la camilla se incorporaba alzando un brazo por encima de los hombros de los porteadores. "Esperemos que ese hombre que sabe hablar tan bien del amor en general encuentre alguna razón concreta que nos salve en esta ocasión", dije. Me producía un amargo resentimiento el absurdo peligro de nuestra situación, como si encontrarnos a merced de aquel atroz fantasma fuese una deshonrosa necesidad. No lograba oír nada, pero a través de los binoculares vi el delgado brazo, extendido con autoridad, la mandíbula inferior moverse, los ojos de aquella aparición brillar oscuramente enterrados en la huesuda cabeza, que asentía con grotescos gestos. Kurtz..., Kurtz... Significa "bajo" en alemán, ¿no es así? Pues bien, había tanto de verdad en su nombre como en todos los demás aspectos de su vida... y de su muerte. Parecía medir más de dos metros. Se había caído su cobertor y su cuerpo había emergido de él, lastimoso y desolador, como de una mortaja. Se le veía la agitada caja torácica, los huesos de los brazos moviéndose. Parecía como si una imagen animada de la muerte esculpida en marfil viejo sacudiese su mano, amenazadora, hacia una inmóvil multitud de hombres hechos de oscuro y reluciente bronce. Vi que abría mucho la boca; el gesto le daba un aspecto extrañamente voraz, como si desease tragarse todo el aire, toda la tierra, todos los hombres que tenía ante él. Me llegó, muy débil, una voz profunda. Debía de estar gritando. De pronto se dejó caer en la camilla, que se agitó al reemprender el tambaleante paso los porteadores, y casi al mismo tiempo noté que la muchedumbre de salvajes se iba desvaneciendo sin ningún movimiento perceptible de retirada, como si la selva que los había expulsado tan de repente los absorbiera de nuevo como se inhala el aliento en una larga inspiración.

»Tras la camilla, unos cuantos peregrinos llevaban sus armas (dos escopetas, un pesado rifle y una carabina ligera de repetición): los rayos y los truenos de aquel Júpiter lastimero. El director se inclinaba sobre él, murmurando mientras caminaba junto a su cabeza. Lo depositaron en una de las pequeñas casetas, una simple habitación con espacio apenas para un camastro y una o dos banquetas plegables. Le habíamos traído el correo atrasado, y su lecho estaba cubierto por un montón de papeles rasgados y cartas abiertas desperdigadas. Su débil mano rebuscaba entre aquellos papeles. Me impresionó el fuego de sus ojos y la serena languidez de su expresión. No se trataba del agotamiento de la enfermedad. No parecía sufrir dolor. Aquella sombra parecía saciada y tranquila, como si, por el momento, se hubiese hartado de emociones.

»Una carta crujió entre sus manos y, mirándome directamente a la cara, dijo: "Encantado". Alguien le había escrito hablándole de mí. Aquellas recomendaciones especiales volvían a salir a la luz. El volumen de su tono, que emitía sin esfuerzo alguno, casi sin molestarse ni en mover los labios, me maravilló. ¡Qué voz! ¡Qué voz! Era grave, profunda, vibrante, aunque aquel hombre no parecía capaz apenas de susurrar. Sin embargo, había encontrado en su interior suficientes fuerzas, fingidas sin duda, para estar a punto de acabar con nosotros, como oiréis enseguida.

»El director apareció, silencioso, en el quicio de la puerta. Yo salí de inmediato, cerrando la cortina tras de mí. El ruso, a quien los peregrinos observaban con curiosidad, contemplaba la orilla. Seguí la dirección de su mirada.

»Se podían distinguir en la distancia oscuras formas humanas, deambulando confusamente en la penumbra de las lindes de la selva, y junto al río, dos figuras de bronce, apoyadas en altas lanzas, se alzaban bajo la luz del sol, coronadas con fantásticos tocados de pieles moteadas, marciales y quietos, en escultural reposo. Y de izquierda a derecha, a lo largo de la iluminada orilla, surgió la aparición de una mujer, espléndida y salvaje.

»Caminaba con paso mesurado, envuelta en ropajes rayados y con flecos, pisando la tierra con orgullo, dejando a su paso el leve tintineo y los destellos de sus bárbaros ornamentos. Llevaba la cabeza erguida; el pelo arreglado en forma de casco; ajorcas de latón hasta la rodilla, guanteletes de alambre de latón hasta los codos, la morena mejilla teñida de carmesí, innumerables collares de cuentas de cristal al cuello; los extraños objetos, amuletos, regalos de hechiceros, que colgaban de su cuerpo relucían y temblaban a cada paso que daba. Sin duda llevaba encima el valor de varios colmillos de elefante. Era salvaje y soberbia, de ojos feroces y majestuosa; su pausado avance tenía un algo de ominoso y magnífico. Y en la quietud que había descendido de pronto sobre aquella afligida tierra, la inmensa naturaleza salvaje, el colosal cuerpo de la vida fecunda y misteriosa parecía contemplarla, pensativa, como si estuviese observando la imagen de su propia alma tenebrosa y apasionada.

»Llegó a la altura del vapor, se detuvo y nos miró. Su larga sombra caía hasta el borde del agua. Su rostro tenía el aspecto trágico y fiero de la aflicción salvaje, y el dolor sordo mezclados con el miedo de una lucha, de una resolución que no ha tomado aún forma completa. Se quedó mirándonos, sin un movimiento, y, como la propia naturaleza salvaje, con aire de tramar un propósito inescrutable. Transcurrió un minuto entero, y entonces dio un paso hacia delante. Se produjo un leve tintineo, un destello de metal amarillo, un aleteo de flecos en su ropaje, y se detuvo como si le hubiera fallado el corazón. El joven que había junto a mí gruñó. A mi espalda murmuraban los peregrinos. Ella nos miró a todos como si su vida dependiese de la fijeza inquebrantable de su mirada. De pronto, abrió los brazos desnudos y los alzó, rígidos, por encima de la cabeza, como llevada por el incontrolable deseo de tocar el cielo, y al mismo tiempo, las raudas sombras se precipitaron sobre la tierra, barrieron el río, rodeando el vapor con un sombrío abrazo. Sobre la escena se cernía un formidable silencio.

»Dio media vuelta despacio, caminando a lo largo de la orilla, y se adentró en la selva por la izquierda. Solo una vez se volvieron sus ojos para mirarnos desde la penumbra de la espesura antes de desaparecer.

»"Si hubiera tratado de subir a bordo creo sinceramente que hubiera intentado dispararle —dijo el hombre de los remiendos, nervioso—. He estado arriesgando mi vida a diario durante dos semanas para mantenerla apartada de la casa. Un día logró entrar y armó un escándalo tremendo por culpa de los harapos miserables que cogí del almacén para remendarme la ropa. No le parecí honrado. Al menos eso debe de haber sido, porque estuvo hablando como una furia con Kurtz durante una hora, señalándome de vez en cuando. No comprendo el dialecto de esa tribu. Por suerte para mí, tengo la impresión de que aquel día Kurtz se encontraba demasiado mal para darle importancia, o hubiera habido problemas. No lo comprendo... No, es demasiado para mí. Pero qué más da, ya ha pasado todo".

»En ese momento oí la profunda voz de Kurtz tras la cortina: "¡Salvarme! Querrá decir salvar el marfil. No me venga con esas. ¡Salvarme a mí! Pues, vaya, he tenido que salvarles yo a ustedes. Se están interponiendo en mis planes. ¡Enfermo! ¡Enfermo! No tanto como les gustaría creer. No importa. Todavía puedo llevar a cabo mis ideas: regresaré. Les demostraré lo que se puede hacer. Ustedes y sus mezquinas ideas de mercachifles... se están interponiendo en mi camino. Regresaré. Yo...".

»El director salió. Me hizo el honor de pasarme el brazo por los hombros y llevarme aparte. "Está muy mal, muy mal", dijo. Consideró necesario suspirar, pero no logró parecer verdaderamente apenado. "Hemos hecho todo lo que hemos podido por él, ¿no es así? Pero no se puede ocultar la verdad, el señor Kurtz le ha hecho más daño que bien a la compañía. No ha comprendido que no era el momento adecuado para actuar con energía. Precaución, la precaución es mi lema. Todavía debemos ser precavidos. Este distrito ha quedado vedado para nosotros durante un tiempo. ¡Deplorable! En conjunto, el comercio acabará sufriendo. No niego que se ha recogido una cantidad notable de marfil, fósil en su mayor parte. Debemos salvarlo a toda costa, pero mire en qué posición tan precaria nos encontramos, ¿y todo por qué? Porque los métodos son irracionales". "¿Llama usted a eso —dije mirando hacia la orilla—, métodos irracionales? "Sin duda alguna —exclamó, acalorado—. ¿Acaso usted no?". "No hay método alguno", murmuré al cabo de un momento. "Exacto —dijo, triunfante—. Yo ya lo había predicho. Demuestra una total falta de juicio. Es mi deber hacérselo saber a las instancias apropiadas". "¡Oh! —dije yo—, aquel hombre, ¿cómo se llamaba?, el fabricante de ladrillos, podrá redactar un informe comprensible para usted". Se mostró confuso durante un momento. Tuve la sensación de no haber respirado nunca una atmósfera tan vil, y volví mis pensamientos hacia Kurtz buscando alivio, alivio, sin duda. "Sin embargo, creo que el señor Kurtz es un hombre extraordinario", dije con énfasis. Se sobresaltó, me miró con frialdad y dijo muy despacio: "Lo era", y me volvió la espalda. Acababa de caer en desgracia; me habían incluido, con Kurtz, entre los defensores de los métodos para los que el momento no era adecuado: ¡yo también era irracional! ¡Ah, pero al menos todavía podía elegir mis pesadillas!

»En realidad, yo me había inclinado por la naturaleza salvaje, no por Kurtz, que, no me costaba admitirlo, era como si ya lo hubieran enterrado. Y por un momento me pareció que yo también estaba enterrado en una enorme tumba de secretos inconfesables. Sentí que un peso insoportable me oprimía el pecho, el olor de la tierra mojada, la invisible presencia de la corrupción victoriosa, las tinieblas de una noche impenetrable... El ruso me dio unos toquecitos en el hombro. Le oí murmurar y balbucear algo: "Hermano marino... no se puede ocultar... información sobre asuntos que afectarían a la reputación del señor Kurtz". Esperé. Para él, era evidente, Kurtz no estaba en la tumba. Sospecho que para él Kurtz se contaba entre los inmortales. "Bueno —dije al fin—, hable usted sin reparos. Por lo visto resulta que soy amigo del señor Kurtz..., al menos en cierto sentido".

»Declaró con sus buenas dosis de formalidad que si no hubiéramos pertenecido "a la misma profesión" se hubiera guardado para sí mismo la cuestión, sin importar las consecuencias. "Él tenía la sospecha de que había una mala voluntad hacia él por parte de aquellos hombres blancos que..." "Tiene usted razón —le dije, recordando cierta conversación que había escuchado por casualidad—. El director piensa que a ustedes habría que colgarlos". Al recibir esta información mostró una preocupación que me resultó divertida, al principio. "Será mejor que desaparezca discretamente —dijo con seriedad—. Ahora ya no puedo hacer nada más por Kurtz y pronto encontrarán alguna excusa. ¿Qué se lo impide? Hay un puesto militar a unos quinientos kilómetros de aquí". "Bien, a mi juicio —dije yo—, quizá sería mejor que se marchase, si cuenta con algún amigo entre los salvajes de la zona". "Tengo muchos —dijo—. Son gentes sencillas y yo no necesito nada, ya lo sabe usted. —Se quedó allí, mordiéndose el labio, y luego dijo—: No quiero que les ocurra nada malo a los blancos que hay aquí, aunque, por supuesto, estaba pensando en la reputación del señor Kurtz..., pero usted es un hermano marino y...". "Está bien —dije yo al cabo de un rato—, la reputación del señor Kurtz está a salvo conmigo". No sabía cuánta verdad encerraban mis palabras.

»Me informó, bajando la voz, de que había sido Kurtz quien había ordenado el ataque al vapor. "A veces no podía soportar la idea de que se lo llevasen y sin embargo... Pero yo no entiendo de esos asuntos; soy un hombre sencillo. Pensó que se asustarían, que se darían por vencidos, que lo tomarían por muerto. No fui capaz de impedírselo. ¡Oh, lo he pasado muy mal este último mes!" "De acuerdo", dije, "pero ahora él ya está a salvo". "Sííí", masculló él, no muy convencido, aparentemente.

"Gracias —dije yo—. Mantendré los ojos abiertos". "Pero silencio, ¿eh? —me imploró, ansioso—. Sería horrible para su reputación si alguien de aquí...". Le prometí completa discreción con gran solemnidad. "Tengo una canoa y tres negros esperándome no lejos de aquí. Me marcho. ¿Podría proporcionarme unos cuantos cartuchos de Martini-Henry?" Podía y así lo hice, con el necesario secreto. Se sirvió también, guiñándome un ojo, un puñado de tabaco. "Entre marinos, ya sabe, buen tabaco inglés. —Al llegar a la puerta de la cabina del piloto se dio la vuelta—: Si me permite, ¿no le sobrará un par de zapatos? —Levantó una pierna—. Mire." Llevaba unas suelas atadas con cuerdas a modo de sandalias en los pies desnudos. Encontré un viejo par, que él contempló con admiración antes de metérselo bajo el brazo izquierdo.

Uno de sus bolsillos (de un rojo brillante) estaba repleto de cartuchos, del otro (azul oscuro) asomaba la *Investigación*, etcétera, etcétera, de Towson. Parecía considerarse excelentemente equipado para un nuevo encuentro con la naturaleza salvaje. "¡Ay! No volveré jamás, jamás, a conocer a otro hombre como él. Tendría que haberle oído recitar poesía, escrita por él mismo, me dijo. ¡Poesía! —Hizo girar los ojos al recordar aquellas delicias—. ¡Me ha abierto la mente!". "Adiós", dije yo.

Me dio la mano y se desvaneció en la noche. A veces me pregunto si de verdad llegué a verle alguna vez, si era posible encontrarse con semejante fenómeno...

»Cuando me desperté, poco después de la medianoche, su advertencia me sobrevino con una nota de peligro que me pareció, en medio de las estrelladas tinieblas, suficientemente veraz para obligarme a levantarme a echar un vistazo a los alrededores. En la colina ardía un fuego enorme, que iluminaba de manera irregular una esquina inclinada de la vivienda de la estación. Uno de los agentes, con un piquete de negros armados para la ocasión, montaba guardia ante el marfil, pero en las profundidades de la selva, rojos resplandores que oscilaban y parecían hundirse y volverse a alzar desde el suelo, entre confusas columnas de una intensa negrura, mostraban la posición exacta del campamento en el que los adoradores de Kurtz mantenían una inquieta vigilia. El monótono latido de un gran tambor llenaba el aire con atenuadas sacudidas y una persistente vibración. El continuo runrún de numerosos hombres cantando, cada cual para sí mismo, algún tipo de extraño encantamiento llegaba desde el negro muro de la selva como el zumbido de las abejas desde una colmena, produciendo un extraño efecto narcótico en mis sentidos medio adormecidos. Creo que me quedé traspuesto, apoyado en la barandilla, hasta que un repentino estallido de gritos, un brote arrollador de frenesí reprimido y misterioso, me despertó con desconcertado asombro. Se interrumpió de pronto y el grave runrún continuó con el efecto de un silencio audible y balsámico. Miré sin interés hacia la pequeña cabina. Dentro ardía una luz, pero Kurtz no estaba allí.

»Pienso que, de haber creído lo que veían mis ojos me hubiera puesto a gritar, pero al principio no di crédito, tan imposible me parecía aquello. La realidad es que me quedé completamente estupefacto de miedo puro y ciego, de terror puramente abstracto, sin relación con ninguna forma clara de peligro físico. Lo que hacía que aquella emoción resultase tan abrumadora era, ¿cómo definirlo?, la conmoción moral que sufrí, como si algo enteramente monstruoso, intolerable para el pensamiento y detestable para el alma, hubiera caído sobre mí sin previo aviso. Por supuesto, aquello no duró más de una minúscula fracción de segundo, y entonces me llegó la normal sensación de peligro mortal, la posibilidad de un ataque inesperado y una súbita matanza o algo semejante, que yo veía inminente, y la recibí con alivio y tranquilidad. Me tranquilizó tanto, de hecho, que no di la voz de alarma.

»Había un agente embutido en un chaquetón durmiendo en una silla de cubierta a poco menos de un metro de mí. El griterío no lo había despertado y roncaba muy suavemente. Lo dejé en manos del sueño y salté a la orilla. No traicioné a Kurtz, estaba dispuesto que no lo traicionase jamás, estaba escrito que permaneciese leal a la pesadilla que había elegido. Estaba impaciente por enfrentarme a aquella sombra por mí mismo, y a día de hoy todavía no sé por qué aquel celo por no compartir con nadie aquella extraña y oscura experiencia.

»En cuanto salté a la orilla vi un rastro, un ancho rastro entre la hierba. Recuerdo con qué júbilo me dije: "No puede andar, se está arrastrando a cuatro patas. ¡Lo tengo!". El rocío había humedecido la hierba. Avancé con rapidez, a grandes zancadas y con los puños apretados. Me imagino que tenía la vaga idea de caer sobre él y darle una paliza. No lo sé. Me invadieron pensamientos estúpidos. La anciana tejedora del gato se abrió paso en mi memoria y me pareció la persona menos apropiada para sentarse al otro extremo de semejante asunto. Vi una fila de peregrinos lanzando plomo al aire con los Winchester apoyados en la cadera. Pensé que no volvería jamás al vapor y me imaginaba viviendo solo y desarmado en la selva hasta una avanzada edad. Y otras tonterías semejantes, ya sabéis. Y recuerdo que confundí el sonido del tambor con el latido de mi corazón y que quedé muy satisfecho con su tranquila regularidad.

»Sin embargo no me aparté del rastro. Entonces me detuve a escuchar. Era una noche muy clara: un espacio azul oscuro, reluciente de rocío y estrellas, en el que se alzaban negros objetos inmóviles. Me pareció ver algún tipo de movimiento delante de mí. Aquella noche sentía una extraña y arrogante certeza sobre todas las cosas. Abandoné el rastro y corrí describiendo un amplio semicírculo (y creo sinceramente que lo hice riendo para mis adentros) para colocarme delante de aquella agitación, de aquel movimiento que había visto..., si es que en realidad había visto algo. Estaba rodeando a Kurtz como si se tratase de un juego infantil.

»Llegué hasta él, y, si no me hubiese oído llegar, también le hubiera caído encima, pero se levantó a tiempo. Se puso en pie, tambaleante, alto, pálido, indistinto, como un vapor exhalado por la tierra, y se tambaleó, vago y silencioso, ante mí, mientras a mi espalda oscilaban las hogueras entre los árboles y el murmullo de muchas voces salía de la selva. Le había cortado el paso con astucia, pero cuando llegó el momento de enfrentarme a él recuperé el sentido común y comprendí la verdadera magnitud del peligro. Aquello no se había acabado, de ninguna manera. ¿Y si se ponía a gritar? Aunque apenas se tenía en pie, su voz conservaba todavía un gran vigor. “Váyase, ocúltese”, me dijo con aquel profundo tono. Aquello era terrible. Miré hacia atrás. Nos encontrábamos a treinta metros de la hoguera más cercana. Una negra figura se puso en pie, dio unas zancadas con unas largas piernas negras, ondulando sus largos brazos negros contra el resplandor. Llevaba unos cuernos, cuernos de antílope, creo, en la cabeza. Se trataba de algún hechicero, algún brujo, sin duda: tenía un aspecto diabólico. "¿Sabe usted lo que hace?", susurré. "Perfectamente", me respondió, alzando la voz para pronunciar aquella única palabra: me sonó lejana y sin embargo potente, como una llamada a través de una bocina. "Si arma escándalo estamos perdidos", pensé para mí. Claramente no era momento para los puños, incluso sin tener en cuenta mi natural aversión a golpear a aquella sombra, aquella cosa errante y atormentada. "Se perderá usted —le dije—, se perderá sin remedio". A veces, ¿sabéis?, nos llegan instantes de inspiración. Había encontrado las palabras adecuadas, aunque lo cierto es que no era posible estar más irremediablemente perdido de lo que ya estaba en aquel momento en que los cimientos de nuestra intimidad se asentaron para durar y durar..., incluso hasta el final..., incluso más allá.

»"Tenía planes grandiosos...", murmuró, un tanto indeciso. "Sí —dije yo—, pero si intenta gritar le aplastaré la cabeza con... —No había cerca ningún palo ni ninguna piedra—. Lo estrangularé", me corregí. "Me hallaba ante el umbral de grandes cosas", suplicó con voz anhelante, con tal melancolía en su tono que me heló la sangre. "Y ahora por ese canalla estúpido...". "En cualquier caso, su éxito en Europa está asegurado", afirmé con resolución. No deseaba verme obligado a estrangularlo, ya os imaginaréis, y, desde luego, no hubiera resultado de gran utilidad para ningún fin práctico. Intentaba romper el hechizo, el hechizo pesado y mudo de la naturaleza salvaje, que parecía atraerlo a su insensible seno despertando los instintos brutales y olvidados, con el recuerdo de monstruosas pasiones ya satisfechas. Únicamente aquello, estaba convencido, era lo que lo había llevado hasta la linde de la selva, hacia la espesura, hacia el resplandor de las hogueras, el pulso de los tambores, el zumbido de extraños conjuros; únicamente aquello era lo que había seducido a su alma inmoral, haciéndola cruzar los límites de las aspiraciones permitidas. Y, ¿no os dais cuenta?, lo terrible de mi situación no era que me pudiesen golpear en la cabeza (aunque también tenía una acuciante sensación de peligro), sino que tenía que enfrentarme a un ser con el que no servía de nada apelar a lo más bajo ni a lo más elevado. Me veía obligado, como hacían los propios negros, a invocarlo a él, a él mismo, a su propia exaltada e increíble degradación. No había nada por encima ni por debajo de él. Había destruido sus lazos con la tierra. ¡Maldito sea! Había destruido la tierra misma. Estaba solo, y yo, de pie ante él, no sabía si pisaba tierra firme o flotaba en el aire. Os he estado contando lo que dijimos, repitiendo las frases que pronunciamos, pero ¿de qué sirve eso? No eran más que palabras comunes, cotidianas: sonidos vagos y familiares que intercambiamos todos los días de nuestra vida. Pero ¿y qué? Tras ellas estaba, para mí, la terrible sugestión de las palabras que se escuchan en los sueños, de las frases que se pronuncian en las pesadillas. ¡Alma! Si alguien ha luchado alguna vez con un alma, ese hombre soy yo. Pero tampoco estaba discutiendo con un lunático. Me creáis o no, su inteligencia se hallaba perfectamente lúcida; concentrada en él mismo con horrible intensidad, es cierto, pero lúcida. Y en ello residía mi única oportunidad..., con la excepción, claro está, de matarlo allí mismo, cosa que no era recomendable por el inevitable alboroto. Pero su alma había enloquecido. Solo en aquella tierra salvaje, se había vuelto hacia sí misma y, ¡por los cielos!, os aseguro que había enloquecido. Yo mismo tuve, por mis pecados, supongo, que pasar por la prueba de mirar en su interior. No hay elocuencia que hubiera podido devastar la fe en la humanidad tanto como su explosión final de sinceridad. Él también luchaba contra sí mismo. Yo lo vi, lo escuché. Contemplé el misterio inconcebible de un alma que no conoce los límites, ni la fe, ni el miedo, y aun así lucha ciegamente consigo misma. Logré mantener la cabeza fría, pero cuando lo tendí en el catre me pasé la mano por la frente, las piernas temblorosas como si hubiera cargado a la espalda media tonelada colina abajo. Y sin embargo solo le había servido de apoyo, con su huesudo brazo enganchado alrededor de mi cuello..., y no pesaba mucho más que un niño.

»Cuando partimos al día siguiente, a mediodía, la muchedumbre, de cuya presencia tras el telón de árboles yo había sido plenamente consciente todo el tiempo, volvió a surgir de la selva, precipitándose en el claro, cubriendo la colina con una masa de cuerpos de bronce desnudos, agitados, jadeantes. Aumenté un poco la presión, y luego viramos río abajo mientras dos mil ojos seguían las evoluciones del fiero demonio del río, chapoteando, aporreando, golpeando el agua con su terrible cola y exhalando humo negro al aire. Al frente de la primera fila que se extendía a lo largo del río, tres hombres, untados de pies a cabeza de tierra de un rojo intenso, se pavoneaban de un lado a otro sin cesar. Cuando llegamos a su altura patearon el suelo; gesticularon con las cabezas, tocadas de cuernos; cimbrearon sus cuerpos de color bermellón; agitaron en dirección al fiero demonio del río un puñado de plumas blancas y una piel sarnosa de la que colgaba una cola (algo semejante a una calabaza seca); periódicamente gritaban al unísono sartas de insólitas palabras que no se parecían a ningún sonido de lenguaje humano; y los profundos murmullos de la multitud, interrumpidos de pronto, semejaban los responsos de alguna letanía satánica.

»Habíamos trasladado a Kurtz hasta la caseta del piloto porque estaba más ventilada. Tendido en el catre, miraba fijamente por el postigo abierto. Se produjo un remolino entre la masa de cuerpos humanos, y desde ella se precipitó aquella mujer, con su tocado como un casco y las mejillas de color escarlata, hacia el mismo borde de la corriente. Tendió las manos hacia nosotros, gritó algo, y aquella turba salvaje recogió el grito como en un rugiente coro de palabras articuladas, raudas e ininterrumpidas.

»"¿Entiende usted esto?", le pregunté.

»Continuó mirando hacia fuera, más allá de donde yo estaba, con ojos encendidos y anhelantes, con una expresión mezcla de melancolía y odio. No me dio ninguna respuesta, pero en sus labios descoloridos, que un momento atrás se curvaban compulsivamente, vi dibujarse una sonrisa, una sonrisa de significado indefinible.

»"¿Cree usted que no?", dijo despacio, jadeando, como si un poder sobrenatural le hubiera arrancado las palabras.

»Tiré del cable de la sirena, y lo hice porque vi que en cubierta los peregrinos comenzaban a sacar los rifles con aire de quien espera divertirse. Ante el súbito bramido se produjo un movimiento de terror abyecto en aquella apretada masa de cuerpos. "¡No! ¡No los ahuyente!", gritó, desconsolado, alguien desde cubierta. Seguí tirando del cable una y otra vez. Se dispersaron y echaron a correr, saltando, agazapándose, dando quiebros para esquivar el terror aéreo de aquel sonido. Los tres tipos de color bermellón yacían cuan largos eran, boca abajo, junto a la orilla, como si los hubieran matado de un tiro. Fue aquella bárbara y soberbia mujer la única que no se encogió, sino que, en un trágico gesto, tendió los brazos desnudos hacia nosotros sobre el centelleante río en sombra.

»Fue entonces cuando la pandilla de imbéciles de cubierta dio comienzo a su pequeña diversión, y no logré ver más a causa del humo.

»La parda corriente corría veloz, alejándose del corazón de las tinieblas, llevándonos hacia el mar al doble de la velocidad de nuestro ascenso, y también la vida de Kurtz corría veloz, retirándose, retirándose de su cuerpo como la marea hacia el mar inexorable del tiempo. El director se mostraba muy sosegado, ya no tenía ansiedad, mientras nos contemplaba con una mirada comprensiva y satisfecha: no podría haber deseado una mejor resolución para el "asunto". Vi que se aproximaba el momento en que me convertiría en el único partidario de los "métodos irracionales". Los peregrinos me miraban con desaprobación. Se me contaba entre los muertos, por así decirlo. Resulta curioso cómo acepté aquella sociedad imprevista, aquella elección entre pesadillas a la que me vi forzado en la tierra tenebrosa invadida por aquellos fantasmas mezquinos y avariciosos.

»Kurtz peroraba. ¡Qué voz! ¡Qué voz! Resonó hasta el mismo final. Sobrevivió a sus fuerzas para ocultar entre los magníficos pliegues de la elocuencia las yermas tinieblas de su corazón. ¡Ah, cómo luchó! ¡Cómo luchó! A los despojos de su fatigado cerebro acudían ahora sombrías imágenes, imágenes de fama y riqueza, dando vueltas, serviles, alrededor de su inextinguible don para la expresión noble y elevada. "Mi prometida, mi estación, mi carrera, mis ideas...": aquellos eran los temas de sus ocasionales manifestaciones de sentimientos elevados. La sombra del Kurtz original frecuentaba la cabecera de aquella vacía imitación cuyo destino era ser enterrada muy pronto en el moho de la tierra primigenia.

Pero el amor diabólico y el odio sobrenatural de los misterios que había desentrañado luchaban por la posesión de aquella alma saciada de emociones primitivas, ávida de falsa fama, de ficticias distinciones, de todas las apariencias del éxito y el poder.

»En ocasiones se mostraba despreciablemente infantil. Deseaba que lo recibiesen reyes en las estaciones de ferrocarril, a su regreso de aquella horrible Ninguna Parte adonde había acudido en pos de grandes cosas. "Si les demuestra que posee algo de auténtico valor, ya no existirán límites al reconocimiento de su capacidad —decía—. Por supuesto, debe ser cuidadoso al escoger sus motivos, siempre motivos adecuados". Largos tramos que semejaban un mismo y único tramo, monótonos recodos idénticos unos a otros, se deslizaban junto al vapor con su multitud de árboles centenarios que contemplaban con paciencia aquel mugriento fragmento de otro mundo, el precursor del cambio, de la conquista, del comercio, de las masacres, de las bendiciones. Yo miraba hacia delante, pilotando. "Cierre el postigo —dijo de pronto Kurtz un día—, no puedo soportar ver esto". Lo cerré. Se produjo el silencio. "¡Aún pienso arrancarte el corazón!", le gritó a la invisible tierra salvaje.

»El barco se estropeó, como yo esperaba, y tuvimos que detenernos a realizar reparaciones en el extremo de una isla. Aquel retraso fue lo primero que alteró la confianza de Kurtz. Una mañana me dio un hatajo de papeles y una fotografía, sujetos con el cordón de un zapato. "Guárdemelo —dijo—. Ese malvado insensato —se refería al director—, es capaz de husmear en mis cajas cuando yo no esté mirando". Lo vi aquella tarde. Estaba tendido boca arriba, con los ojos cerrados, y me retiré discretamente, pero le oí musitar: "Vivir con rectitud, morir, morir...". Me detuve a escuchar. No dijo más. ¿Estaba ensayando en sueños algún discurso, o se trataba del fragmento de una frase de algún artículo de un periódico? Había escrito para algún periódico y tenía la intención de volver a hacerlo, "para difundir mis ideas. Es un deber".

»Las suyas eran unas tinieblas impenetrables. Yo lo miraba como se mira a un hombre tendido en el fondo de un precipicio donde nunca brilla el sol. Pero no disponía de mucho tiempo para él, porque estaba ayudando al maquinista a desmontar los cilindros averiados, a enderezar una biela doblada y otras tareas semejantes. Vivía en medio de una confusión infernal de herrumbre, limaduras, tuercas, pernos, llaves, tornillos, barrenas..., cosas, todas ellas, que aborrezco porque no se me dan nada bien. Me encargaba de la pequeña forja que, por suerte, llevábamos a bordo; trabajaba hasta la extenuación con aquel motón de chatarra, a menos que sufriese temblores insoportables.

»Una noche en que entraba con una vela me sobresalté al oírle decir, con voz algo temblorosa: "Aquí estoy, tendido en la oscuridad, esperando a la muerte". La luz estaba a poco más de un palmo de sus ojos. Me obligué a murmurar: "¡Tonterías!", y me quedé allí, transido.

»Nunca antes había visto nada semejante al cambio que se produjo en sus facciones, y espero no volver a verlo. No me conmovió; me fascinó. Fue como desgarrar un velo. En aquel rostro de marfil vi la expresión de orgullo sombrío, de poder despiadado, de cobarde terror..., de una desesperación intensa y descorazonada. ¿Estaba acaso reviviendo su vida con cada detalle de deseo, tentación y rendición durante aquel supremo momento de conocimiento pleno? Gritó en un susurro a alguna imagen, alguna visión. Gritó dos veces, un grito que no fue más que un suspiro:

»"¡El horror! ¡El horror!".

»Apagué la vela y salí de la cabina. Los peregrinos estaban cenando en el comedor, y yo ocupé mi sitio frente al director, que alzó los ojos para dirigirme una mirada inquisitiva, a la que conseguí hacer caso omiso. Se reclinó hacia atrás, sereno, con aquella sonrisa característica que sellaba las profundidades no pronunciadas de su mezquindad. Una continua lluvia de mosquitos se derramaba por la lámpara, por el mantel, por nuestras manos y rostros. De pronto, el chico del director asomó la insolente cabeza negra por la puerta y dijo, en un tono de desprecio mordaz:

»"*Señó* Kurtz..., muerto".

»Todos los peregrinos salieron en tromba para verlo. Yo me quedé y continué con la cena. Creo que lo consideraron de una insensibilidad brutal por mi parte. Sin embargo, no comí gran cosa. Allí había una lámpara, daba luz, ¿entendéis?, y fuera la oscuridad era ciega, ciega. No volví a acercarme a aquel hombre extraordinario que ya había emitido su juicio sobre las andanzas de su alma en esta tierra. La voz había desaparecido. ¿Qué quedaba allí? Pero, por supuesto, soy consciente de que al día siguiente los peregrinos enterraron algo en un hoyo fangoso.

»Y después a punto estuvieron de enterrarme a mí.

»Sin embargo, como veis, no me reuní con Kurtz en aquel momento y lugar. No fue así. Me quedé para soñar la pesadilla hasta el mismo final y para mostrar mi lealtad a Kurtz una vez más. El destino. ¡Mi destino! Es curiosa la vida..., ese misterioso arreglo de lógica inmisericorde para un vano fin. Lo más que se puede esperar de ella es alcanzar cierto conocimiento de uno mismo, que llega demasiado tarde, y una cosecha de inextinguibles remordimientos. Yo he luchado a brazo partido con la muerte. Es el combate menos estimulante que os podáis imaginar. Tiene lugar en un impalpable espacio anodino, sin nada bajo los pies, sin nada alrededor, sin espectadores, sin clamor, sin gloria, sin el gran deseo de la victoria, sin el gran miedo a la derrota, en un ambiente enfermizo de tibio escepticismo, sin una gran creencia en la causa propia y todavía menos en la del adversario. Si es esa la forma de la sabiduría última, entonces la vida es un enigma aún mayor de lo que creemos algunos. Me encontré a las puertas de la última oportunidad de hacer una declaración y descubrí, para mi humillación, que probablemente no tendría nada que decir. Por ese motivo afirmo que Kurtz era un hombre extraordinario. Él tenía algo que decir y lo dijo. Desde que yo mismo me asomé también al otro lado, comprendo mejor el significado de aquella mirada fija, que no veía la llama de la vela, pero que era de una amplitud capaz de abarcar el universo entero, de una agudeza capaz de penetrar todos los corazones que laten en las tinieblas. Había recapitulado y había emitido su juicio. "¡El horror!" Era un hombre extraordinario. Al fin y al cabo, aquello expresó alguna clase de creencia: había sinceridad, había convicción, había una vibrante nota de repugnancia en aquel suspiro; tenía la desoladora faz de una verdad apenas vislumbrada, la extraña combinación de deseo y odio. Y no es mi propio momento extremo lo que mejor recuerdo: una visión gris sin forma, llena de dolor físico, y un despreocupado desdén por lo efímero de todas las cosas, incluso del propio dolor. ¡No! Es su momento extremo el que me parece haber vivido. Cierto es que él había dado ese último paso, había cruzado la frontera, mientras que a mí se me permitió retirar el pie vacilante. Y quizás ahí resida toda la diferencia: quizá toda la sabiduría, toda la verdad y toda la sinceridad se hallan comprimidas en ese momento inapreciable de tiempo en el que atravesamos el umbral de lo invisible. ¡Tal vez! Me gusta creer que mi recapitulación no hubiera sido una palabra de desdén indiferente. Mejor su grito, mucho mejor. Fue una afirmación, una victoria moral pagada con innumerables derrotas, con abominables terrores, con abominables satisfacciones. ¡Pero fue una victoria! Por ello he permanecido leal a Kurtz hasta el final e incluso más allá, cuando mucho después volví a oír una vez más, no su propia voz, sino el eco de su magnífica elocuencia, que me llegó de un alma de una pureza translúcida como un risco de cristal.

»No, no me enterraron, aunque hay un período de tiempo borroso en mis recuerdos, que me trae un estremecido asombro, como un pasadizo a través de un mundo inconcebible en el que no existían esperanzas ni deseos. Me encontré de nuevo en la ciudad sepulcral, incómodo por la visión de la gente que se afanaba por las calles para sacarse unos a otros algo de dinero, para devorar su cocina infame, para tragar su cerveza malsana, para soñar sus sueños insignificantes y pueriles. Se entrometían en mis pensamientos. Eran intrusos cuyo conocimiento de la vida no era para mí más que una irritante farsa, porque tenía la certeza de que era imposible que supiesen lo mismo que yo. Soportarlos, que no era otra cosa que soportar a individuos comunes y corrientes que se ocupan de sus asuntos con la seguridad de encontrarse completamente a salvo, me resultaba tan ofensivo como los intolerables alardes de la insensatez ante un peligro que no comprende. No sentía ningún deseo en particular de iluminarlos, pero me resultaba difícil contenerme para no echarme a reír en sus caras tan llenas de estúpida vanidad. Es posible que por aquel entonces no me encontrase demasiado bien. Deambulaba por las calles (tenía que resolver varios asuntos), poniendo amargas muecas a personas más que respetables. Admito que mi comportamiento no tiene excusa, pero lo cierto es que en aquellos días mi temperatura rara vez era normal. Los esfuerzos de mi querida tía por "restablecer mis fuerzas" parecían fracasar. No era restablecer mis fuerzas lo que necesitaba, sino consuelo para mi imaginación. Conservé el hatajo de papeles que me había dado Kurtz, sin saber exactamente qué hacer con él. Su madre había fallecido recientemente, al cuidado, según me dijeron, de la prometida de Kurtz. Un hombre bien afeitado, con porte oficial, que llevaba gafas con montura de oro, se presentó en mi casa a hacer preguntas, indirectas al principio, después cortésmente apremiantes, sobre lo que él insistía en llamar ciertos "documentos". No me sorprendió, porque allá había tenido ya dos discusiones con el director a causa del tema. Me había negado a entregar el más minúsculo recorte de aquel paquete y adopté la misma actitud con el hombre de las gafas. Al final acabó poniéndose sombrío y amenazador, y argumentó con gran exaltación que la compañía tenía derecho a cualquier información sobre sus "territorios". Y dijo: "Los conocimientos del señor Kurtz sobre algunas regiones inexploradas tenían que ser necesariamente amplios y particulares, debido a sus grandes capacidades y a las deplorables circunstancias en que se había visto; por lo tanto...". Le aseguré que los conocimientos del señor Kurtz, aunque amplios, no tenían relación con los problemas del comercio ni de la administración. Él invocó entonces el nombre de la ciencia. "Sería una pérdida incalculable si...", etcétera, etcétera. Le ofrecí el informe sobre la "Supresión de las costumbres salvajes", al que le había arrancado la posdata. Lo tomó con anhelo, pero acabó arrugando la nariz con aire de desdén. "Esto no es lo que teníamos derecho a esperar", observó. "No esperen otra cosa —dije yo—. El resto es correspondencia personal." Se retiró amenazando con emprender acciones legales y no volví a verle más; pero al cabo de dos días se presentó otro individuo que dijo ser primo de Kurtz y se mostró deseoso de conocer todos los detalles sobre los últimos momentos de su querido pariente. Por casualidad me dio a entender que Kurtz había sido en esencia un gran músico. "Tenía cualidades para alcanzar un inmenso éxito", dijo aquel hombre, que era organista, creo, y tenía una melena lacia y gris que le caía sobre el mugriento cuello de la chaqueta. No tuve motivo para poner en duda aquella aseveración, y a día de hoy soy incapaz de afirmar cuál era la profesión de Kurtz, si es que alguna vez tuvo alguna, ni cuál el mayor de sus talentos. Yo lo había tomado por un pintor que escribía para los periódicos, o por un periodista que pintaba, pero ni siquiera el primo (que aspiraba rapé durante nuestra entrevista) supo decirme con exactitud a qué se dedicaba. Era un genio universal, en ese punto estuve de acuerdo con aquel anciano, que a continuación se sonó la nariz en un gran pañuelo de algodón y se retiró con senil turbación, llevando consigo algunas cartas familiares y recuerdos sin importancia. Por último, apareció un periodista deseoso de conocer algún detalle del destino de su "querido colega". Aquel visitante me informó de que el ambiente más adecuado para Kurtz hubiera sido la política, "en su dimensión popular". Tenía pobladas cejas rectas, cabello corto e hirsuto, un monóculo sujeto con una ancha cinta, y, una vez que se sintió a sus anchas, me confesó que en su opinión Kurtz no sabía escribir. "...¡Pero, cielos, cómo hablaba! Electrizaba a las masas, ¿no sabe?, tenía fe. Podía convencerse de creer en cualquier cosa..., cualquier cosa. Hubiera sido un líder espléndido para un partido radical." "¿Qué partido?", le pregunté. "Cualquiera —respondió el otro—. Era un..., un... extremista". ¿No era yo de la misma opinión? Asentí. ¿Sabía yo, me preguntó en una súbita muestra de curiosidad, "qué le indujo a viajar hasta allí?". "Sí", dije yo, y entonces le entregué el famoso informe para su publicación, si le parecía conveniente. Le echó un vistazo apresurado, mascullando todo el tiempo, consideró que "valdría la pena" y se marchó con su botín.

»Así, me quedé al fin con un delgado paquete de cartas y el retrato de la joven. Me impresionó su belleza... o, mejor dicho, la belleza de su expresión. Sé que también se puede lograr que la luz del sol nos engañe, pero daba la sensación de que ninguna manipulación de la luz ni la postura hubiera logrado conferir a aquellos rasgos tan delicado matiz de verdad. Parecía dispuesta a escuchar sin reservas, sin sospechas, sin un pensamiento para sí misma. Llegué a la conclusión de que debía ir en persona a devolverle el retrato y aquellas cartas. ¿Curiosidad? Sí, pero tal vez también algún otro sentimiento. Me había desprendido de todo lo que había pertenecido a Kurtz: su alma, su cuerpo, su estación, sus planes, su marfil, su carrera. Lo único que quedaba era su recuerdo y su prometida, y en cierta medida también quería entregar aquello al pasado; entregar personalmente lo único que de él quedaba en mí al olvido, que es la última palabra de nuestro destino común. No me estoy defendiendo. Yo no percibía con claridad cuál era mi auténtica intención. Quizá se trató de un impulso de lealtad inconsciente, o del cumplimiento de una de esas paradójicas necesidades que se ocultan en las verdades de la existencia humana. No lo sé, ni podría explicarlo. Pero fui.

»Creía que su recuerdo era como otros recuerdos de los muertos que se acumulan en la vida de cualquier persona: una vaga huella en el cerebro de las sombras que han caído en él en su raudo tránsito final; pero ante la puerta, grande y pesada, entre las altas casas de una calle tan callada y decorosa como un pasillo bien cuidado de un cementerio, tuve una visión de él tendido en la camilla, con la boca abierta en un gesto voraz, como si pretendiese devorar toda la tierra y a la humanidad con ella. En ese momento estaba vivo ante mí, tan vivo como estuvo en vida: una sombra insaciable de espléndida apariencia, de terrible realidad; una sombra más oscura que la sombra de la noche, y envuelta con nobleza en los pliegues de una magnífica elocuencia. Sentí como si la visión entrase conmigo en la casa: la camilla, los porteadores fantasmales, la salvaje muchedumbre de obedientes devotos, la penumbra de la selva, el centelleo del río entre los turbios recodos, el ritmo del tambor, regular y atenuado como el latido de un corazón..., el corazón de unas tinieblas victoriosas. Fue un momento de triunfo para la naturaleza salvaje, una acometida invasora y vengativa que, así me pareció, era mi deber rechazar solo por la salvación de otra alma. Y el recuerdo de lo que le había oído decir en aquellos confines, con aquellas siluetas tocadas de cuernos agitándose a mi espalda contra el resplandor de las hogueras, con la paciente selva; aquellas frases rotas regresaron a mí, volví a escucharlas en toda su ominosa y aterradora simplicidad. Recordé su abyecta súplica, sus abyectas amenazas, la colosal dimensión de sus viles deseos, la mezquindad, el tormento, la tempestuosa angustia de su alma. Y más adelante creí ver sus serenos modales cuando un día dijo: "En realidad, ahora esta partida de marfil es mía. La compañía no la ha pagado. La he recogido yo mismo con enorme riesgo personal. Pero me temo que intentarán reclamarla. Hum... Es un caso complicado. ¿Qué cree que debo hacer? ¿Resistirme? ¿Eh? No pido más que justicia". No pedía más que justicia, nada más que justicia. Llamé al timbre frente a una puerta de caoba del primer piso, y mientras esperaba, él parecía mirarme fijamente desde el panel acristalado, contemplarme con aquella mirada ancha e inmensa que abarcaba, condenaba y despreciaba al universo entero. Me parecía oírlo gritar con un suspiro: "¡El horror! ¡El horror!".

»Caía el crepúsculo. Tuve que esperar en un distinguido salón con tres largas ventanas que iban del suelo al techo y semejaban tres luminosas columnas revestidas de cortinajes. Las patas y los respaldos arqueados y recamados en pan de oro del mobiliario relucían en curvas indistintas. La alta chimenea de mármol era de una blancura fría y monumental. En un rincón se alzaba, imponente, un piano de cola cuyas superficies lanzaban oscuros destellos, como un sombrío sarcófago pulido. Una gran puerta se abrió..., se cerró. Me puse en pie.

»Ella se me acercó, toda de negro, la pálida cabeza flotando hacia mí en el crepúsculo. Estaba de luto. Había transcurrido más de un año desde su muerte, más de un año desde que le habían llegado las noticias, pero ella daba la impresión de que lo recordaría y lo lloraría toda su vida. Tomó mis manos entre las suyas y murmuró: "Me habían dicho que venía". Observé que no era muy joven, quiero decir, no era una chiquilla. Tenía la madurez necesaria para la fidelidad, para las creencias, para el sufrimiento. Pareció que la sala se había oscurecido, como si toda la triste luz de aquella tarde nublada se hubiera refugiado en su frente. Aquel pelo rubio, aquel pálido rostro, aquel semblante puro parecían rodeados de un halo ceniciento desde el que me contemplaban los oscuros ojos. Su mirada era inocente, profunda, segura y confiada. Alzaba la afligida cabeza como si se enorgulleciese de aquella aflicción, como si dijese: "Yo, y solo yo, sé llorarlo como se merece". Pero todavía estábamos dándonos la mano cuando se adueñó de su rostro tal expresión de desolación que comprendí que se trataba de una de esas criaturas que no son juguetes del tiempo. Para ella, él había muerto tan solo el día anterior. Y, ¡por Júpiter!, la impresión fue tan poderosa que también a mí me dio la sensación de que había muerto ayer mismo, es más, en aquel mismo momento. Los vi a los dos en el mismo instante del tiempo, la muerte de él y el dolor de ella, vi el dolor de ella en el mismo momento de la muerte de él. ¿Lo entendéis? Los vi juntos, los oí juntos. Ella había dicho en un profundo suspiro: "He sobrevivido", mientras mis tensos oídos parecían oír claramente, entrelazado con su tono de desesperado lamento, el susurro que recapitulaba la eterna condenación de él. Me pregunté qué hacía yo allí, con una sensación de pánico en el corazón, como si hubiera hecho encajar a golpes un misterio absurdo y cruel que ningún ser humano debería contemplar. Ella me condujo a una silla. Nos sentamos. Deposité suavemente el paquete en la mesita y ella posó la mano sobre él...

»—Lo conocía usted bien... —murmuró tras un momento de afligido silencio.

»—Allí se alcanza la intimidad con rapidez —dije—. Lo conocía tanto como puede un hombre llegar a conocer a otro.

»—Y lo admiraba —dijo ella—. Era imposible conocerlo y no admirarlo. ¿No es cierto?

»—Era un hombre extraordinario —dije, inseguro. Y a continuación, ante la conmovedora firmeza de su mirada, que parecía esperar más palabras de mis labios, continué—: Era imposible no...

»—Quererlo —concluyó ella, con vehemencia, reduciéndome a un estupefacto mutismo—. ¡Es verdad, es verdad! ¡Pero cuando pienso que nadie lo conocía tan bien como yo! Depositó en mí toda su noble confianza. Yo lo conocía mejor que nadie.

»—Lo conocía usted mejor que nadie —repetí. Y quizás así fuera. Pero con cada palabra que decíamos la habitación se iba oscureciendo cada vez más, y solo su frente, suave y blanca, permanecía iluminada por la luz incombustible de la fe y el amor.

»—Usted era su amigo —prosiguió—. Su amigo —repitió, un poco más alto—. Tiene que haber sido así, si le entregó esto y lo envió a mí. Siento que puedo hablarle con franqueza y debo hacerlo... Quiero que sepa, usted que escuchó sus últimas palabras, que he sido digna de él... No es orgullo... ¡Sí! Me enorgullezco de saber que le comprendía mejor que nadie en el mundo; él mismo me lo dijo. Y desde el fallecimiento de su madre no he tenido a nadie..., nadie..., con quien... con quien...

»Yo la escuchaba. La oscuridad se hacía más densa. Ni siquiera estaba seguro de si Kurtz me había entregado el legajo que pretendía. Empezaba a sospechar que lo que quería era que me ocupase de otro fajo de papeles que, tras su muerte, vi examinar al director bajo la lámpara. Y la joven hablaba, aliviando su dolor con la certeza de mi comprensión: hablaba como beben los sedientos. Me habían dicho que su familia no aprobaba su compromiso con Kurtz porque no contaba con una fortuna suficiente o algo semejante. Lo cierto es que no sé si había sido un indigente toda su vida. Él mismo me había dado motivos para creer que había sido su impaciencia ante su situación de comparativa pobreza lo que lo había impulsado hasta allí.

»—¿Quién podría no ser su amigo habiéndolo escuchado hablar tan solo una vez? —decía ella—. Atraía a los hombres hacia él por lo mejor que había en ellos. —Me dirigió una mirada intensa—. Es el don de los grandes —continuó, y el sonido de su voz profunda parecía acompañado de todos los demás sonidos, llenos de misterio, desolación y sufrimiento, que había escuchado en mi vida: el rumor del río, el crujir de los árboles mecidos por el viento, los murmullos de las multitudes, el débil eco de palabras incomprensibles gritadas en la distancia, el susurro de una voz que habla desde el otro lado del umbral de las tinieblas eternas—. ¡Pero usted lo escuchó, usted lo sabe! —exclamó.

»—Sí, lo sé —dije con algo semejante a la desesperanza en el corazón, pero inclinando la cabeza ante la fe que ella albergaba, ante la gran ilusión redentora que brillaba con un resplandor no terrenal en las tinieblas, en las triunfantes tinieblas desde las que yo no hubiera podido defenderla..., desde las que no podía defenderme a mí mismo siquiera.

»—¡Ha sido una inmensa pérdida para mí..., para nosotros! —se corrigió con hermosa generosidad, y luego añadió, en un murmullo—: Para el mundo.

»Con los últimos rayos del atardecer logré ver el resplandor de sus ojos, llenos de lágrimas..., de lágrimas que no llegaban a derramarse.

»—He sido muy feliz, muy afortunada. Estaba tan orgullosa... —Y prosiguió—: Demasiado afortunada. Demasiado feliz durante un breve tiempo. Y ahora seré infeliz durante..., durante toda la vida.

»Se puso en pie. Sus rubios cabellos parecían recoger en un destello de oro toda la luz que aún quedaba. Yo también me levanté.

»—Y de todo aquello —continuó con pesar—, de la promesa que fue, de toda su grandeza y su espíritu generoso, de su noble corazón, no queda nada..., salvo un recuerdo. Usted y yo...

»—Siempre lo recordaremos —me apresuré a decir.

»—¡No! —exclamó—. Es imposible que todo se haya perdido, que una vida como la suya se sacrifique para no dejar nada..., salvo aflicción. Usted conoce los grandes planes que tenía. Yo también los conocía y quizá no pudiera comprenderlos, pero otros sabían de ellos también. Algo debe de quedar. Sus palabras, al menos, no han muerto.

»—Sus palabras perdurarán —dije.

»—Y su ejemplo —susurró para sí misma—. Los hombres se miraban en él, su bondad brillaba en todos sus actos. Su ejemplo...

»—Cierto —dije—, también su ejemplo. Sí, su ejemplo. Lo olvidaba.

»—Pero yo no. No puedo..., no puedo creerlo..., todavía no. No puedo creer que no voy a volver a verle, que no volverá a verle nadie, nunca, nunca, jamás.

»Tendió los brazos como tratando de alcanzar una figura que retrocedía, extendiéndolos, negros y con las pálidas manos apretadas, a través del mortecino y estrecho resol de la ventana. ¡No volver a verle jamás! En ese momento lo vi con total claridad. Seguiré viendo su elocuente fantasma mientras viva, y también la veré a ella, una sombra trágica y familiar, semejante en aquel gesto a otra, también trágica, y engalanada con inútiles amuletos, tendiendo los brazos marrones y desnudos, a través del centelleo de la corriente infernal, la corriente de tinieblas. De pronto ella dijo, muy quedo:

»—Murió como vivió.

»—Su final —dije con una rabia sorda bullendo en mi interior— estuvo a la altura de su vida en todos los sentidos.

»—Y yo no estaba con él —murmuró. Mi rabia se rindió a un sentimiento de piedad infinita.

»—Todo lo que fue posible hacer... —murmuré.

»—¡Ah! Pero yo creía en él más que nadie en el mundo, más que su propia madre, más que... él mismo. ¡Me necesitaba a mí! Yo hubiera atesorado cada suspiro, cada palabra, cada gesto, cada mirada.

»Sentí una garra helada en mi pecho.

»—No... —dije con voz apagada.

»—Discúlpeme. He llorado tanto tiempo en silencio... ¿Estuvo usted a su lado... hasta el final? Pienso en su soledad, en que no tuvo a nadie junto a él que lo comprendiese como yo lo hubiera comprendido. Quizá nadie oyera...

»—Hasta el mismo final —dije, estremecido— oí sus últimas palabras... —Me detuve, lleno de espanto.

»—Repítamelas —murmuró con el corazón roto—. Quiero..., quiero..., algo... algo con lo que poder vivir.

»A punto estuve de gritarle: "¿Es que no las oye?". El crepúsculo las repetía en un persistente susurro que nos rodeaba, en un susurro que parecía crecer, amenazador, como el primer susurro de un viento al levantarse: “¡El horror! ¡El horror!”.

»—Su última palabra... para poder vivir con ella —insistió—. ¿Es que no comprende que yo lo amaba? ¡Yo lo amaba! ¡Yo lo amaba!

»Me rehíce y hablé con calma.

»—La última palabra que pronunció fue... su nombre.

»Oí un leve suspiro y entonces el corazón se me quedó en vilo, detenido por un grito exultante y terrible, un inconcebible grito de triunfo y de dolor indescriptible.

»—¡Lo sabía! ¡Estaba segura!

»Lo sabía. Estaba segura. La oí llorar, la cara oculta entre las manos. Creí que la casa se derrumbaría antes de que pudiera huir de allí, que los cielos se desplomarían sobre mi cabeza. Pero no ocurrió nada. Los cielos no se desploman por semejantes nimiedades. ¿Se hubieran desplomado, me pregunto, si le hubiera hecho a Kurtz la justicia que pedía? ¿No había dicho, acaso, que no pedía más que justicia? Pero no fui capaz. No fui capaz de decírselo. Hubiera sido demasiado siniestro, demasiado siniestro...

Marlow cesó de hablar y se sentó aparte, apenas visible y en silencio, en la pose de un Buda meditando. Durante un rato no se movió nadie. «Hemos perdido el comienzo del reflujo», dijo, de pronto, el director. Alcé la cabeza. El horizonte estaba cubierto por un negro banco de nubes, y el tranquilo camino de agua que conduce a los confines más remotos de la tierra fluía sombrío bajo un cielo cubierto..., como si condujese al corazón de las inmensas tinieblas.

JOSEPH CONRAD TERMINÓ DE ESCRIBIR
ESTA HISTORIA EL 9 DE FEBRERO DE 1899,
DESPUÉS DE UN PERÍODO DE DOS MESES
DE FRENÉTICO Y CREATIVO TRABAJO
FRUTO DE SUS PROPIAS VIVENCIAS.

PEQUEÑOS TESOROS DE LA LITERATURA
Título original: *Heart of Darkness*
Autor: Joseph Conrad

Publicada originariamente por RBA Libros y Publicaciones, S.L.U.

Ilustración de cubierta: Cristina Serrat
Diseño de cubierta y de interior: Luz de la Mora
Realización editorial: Editec Ediciones

ISBN (OC): 978-84-1149-551-6
ISBN (Libro): 978-84-1149-742-8
Depósito legal: B 17059-2023

Impreso por Black Print CPI Ibérica, S.L.
Impreso en España – *Printed in Spain*

Para Argentina:
Editada, Publicada e importada por RBA EDICIONES ARGENTINA S.R.L.
Av. Córdoba 950 5° Piso "A". C.A.B.A.
Distribuye en C.A.B.A y G.B.A.: Brihet e Hijos S.A., Agustín Magaldi 1448 C.A.B.A.
Tel.: (11) 4301-3601. Mail: ventas@brihet.com.ar
Distribuye en Interior: Distribuidora General de Publicaciones S.A., Alvarado 2118 C.A.B.A.
Tel.: (11) 4301-9970. Mail: circulacion@dgpsa.com.ar

Para Chile:
Importado y distribuido por: El Mercurio S.A.P., Avenida Santa María N° 5542,
Comuna de Vitacura, Santiago, Chile

Para México:
Editada, publicada e importada por RBA Editores México, S. de R.L. de C.V.
Av. Patriotismo 229, piso 8, Col. San Pedro de los Pinos, CP 03800, Alcaldía Benito Juárez,
Ciudad de México, México
Fecha primera publicación en México: febrero 2024.
ISBN (Obra completa): en trámite.
ISBN (Libro): en trámite.

Para Perú:
Edita RBA COLECCIONABLES, S.A.U., Avenida Diagonal, 189. 08019 Barcelona. España.
Distribuye en Perú: PRUNI SAC RUC 20602184065
Av. Nicolás Ayllón 2925 Local 16A El Agustino. CP Lima 15022 - Perú
Tlf. (511) 441-1008. Mail: pedidos@pruni.pe